D1468742

Scrittori per il 99%
Occupy Wall Street

Traduzione di Virginio B. Sala e Stefano Valenti

Titolo dell'opera originale
OCCUPYING WALL STREET
The Inside Story of an Action that Changed America
First published in the United States by OR Books LLC, New York.
© 2012 Writers for the 99%

Traduzione dall'inglese di
VIRGINIO B. SALA E STEFANO VALENTI

© Giangiacomo Feltrinelli Editore Milano
Prima edizione in "Serie Bianca" marzo 2012

Stampa 🦁 Grafica Veneta S.p.A. di Trebaseleghe - PD

ISBN 978-88-07-17230-4

www.feltrinellieditore.it
Libri in uscita, interviste, reading,
commenti e percorsi di lettura.
Aggiornamenti quotidiani

razzismobruttastoria.net

OCCUPY WALL STREET

Zuccotti Park occupato

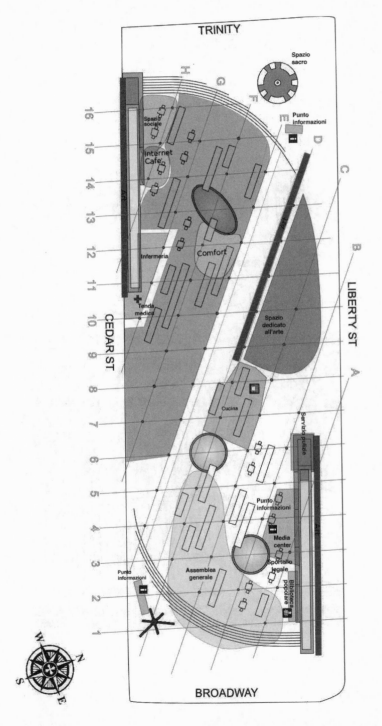

Introduzione

Questo libro racconta i primi mesi del movimento Occupy Wall Street (Ows) ed è il risultato di una collaborazione iniziata un mese dopo la prima azione ufficiale di Ows, il 17 settembre 2011. Una sessantina di persone circa (studenti e insegnanti, scrittori e artisti, operai e professionisti, donne, uomini, persone di colore, bianche, anziani, giovani) è stata coinvolta nelle fasi di ricerca e nella scrittura, nell'illustrazione e nella redazione del testo. Non abbiamo prodotto un racconto ufficiale o autorizzato, ma molti di noi sono partecipanti attivi del movimento e tutti lo sosteniamo.

L'idea di scrivere questo libro è stata ventilata per la prima volta a una riunione del gruppo di lavoro su istruzione ed *empowerment* dell'Ows, tenutasi nell'atrio pubblico del civico 60 di Wall Street, dove si riuniscono molti dei comitati coinvolti nell'occupazione. L'idea è stata accolta in parte con interesse, in parte con diffidenza: per qualcuno era prematuro cercare di scrivere un documento del genere, altri erano preoccupati che il libro si presentasse, o potesse essere recepito, come una "dichiarazione ufficiale", nonostante le rassicurazioni da parte di quelli che ci volevano lavorare; si rendevano conto che porsi come portavoce formali di un movimento orizzontale qual è Ows sarebbe stato al contempo inappropriato e impossibile.

In un incontro successivo il gruppo per l'istruzione e

l'*empowerment* ha votato contro la prosecuzione del progetto, ma gli entusiasti dell'idea hanno deciso di formare un altro comitato e di continuare a incontrarsi in modo indipendente. I membri di questo gruppo indipendente avevano ancora, comunque, idee diverse, fra loro in concorrenza, di quel che il libro avrebbe dovuto essere: c'era chi lo pensava come una raccolta di voci del movimento, chi lo vedeva come un'analisi degli inizi di Ows, con i suoi successi e i suoi fallimenti, altri ancora volevano scrivere un manuale per le occupazioni future. Tutti comunque erano d'accordo che, per quanto possibile, il libro dovesse consentire a Ows di parlare in prima persona.

A questo fine sono state condotte decine di interviste con molte persone diverse, all'interno e intorno all'occupazione: perciò questa è una "storia interna" dell'azione. Gli intervistati sono stati invitati, come tutte le altre persone interessate, a seguire le riunioni redazionali del gruppo, che si tenevano al 60 di Wall Street ed erano aperte a tutti. Abbiamo poi fatto circolare, fra tutte le persone che volevano vederli, le minute degli incontri e i materiali raccolti.

Nel corso del progetto, in linea di massima i partecipanti hanno cercato di adottare il metodo decisionale di Ows, segni delle mani e tutto il resto. Questo non vuol dire che siamo sempre riusciti a seguire perfettamente il modello proposto dal movimento: la nostra organizzazione, come Ows, è un imperfetto *work in progress*, ma abbiamo cercato di osservare i suoi princìpi di democrazia diretta, processi decisionali basati su consenso, inclusività e trasparenza.

Mentre questo libro va in stampa negli Stati Uniti, agli inizi del dicembre 2011, molti aspetti del corso futuro di Occupy Wall Street non sono ancora chiari, ma una cosa è ben evidente: sotto la bandiera "We are the 99 per cent" (Siamo il 99 per cento), la protesta ha fatto nascere il movimento progressista più importante d'America dai tempi delle marce per i diritti civili di mezzo secolo fa. Speriamo, nelle pagine che seguono, di essere riusciti a raccontare la storia di questo inizio.

Inizi

Siete pronti per un momento Tahrir?

Invito da "Adbusters", 13 luglio 2011

Occupy Wall Street è parte di un movimento globale che nell'ultimo anno ha raggiunto quasi tutti i continenti. Le proteste, nelle varie nazioni, hanno avuto luogo sotto forme di governo differenti e sono state diverse fra loro per le richieste specifiche avanzate, ma tutte hanno espresso lo stesso sdegno nei confronti delle ingiustizie di un capitalismo globale senza freni. Nei primi mesi del 2011, il Nord Africa e il Medio Oriente hanno visto una miriade di proteste popolari: le manifestazioni in Tunisia sono iniziate il 17 dicembre 2010, dopo che un venditore ambulante ventiseienne, Mohammed Bouazizi, si era dato fuoco per denunciare il comportamento della polizia, che continuava a confiscare le sue merci per estorcergli denaro, impedendogli così di dare di che vivere alle otto persone della sua famiglia. Fotografie e video di Bouazizi si sono diffusi viralmente su Facebook, scatenando la rabbia di una generazione di giovani tunisini e dando il via a colossali dimostrazioni di piazza che, il 14 gennaio, hanno costretto il presidente Ben Ali all'esilio.

Poi le proteste si sono propagate all'Algeria, al Libano, alla Giordania, alla Mauritania, all'Oman e all'Arabia Saudita. Le prime proteste di piazza in Egitto ci sono state il 25 gennaio e il 31 gennaio oltre 250.000 persone si sono radunate in piazza Tahrir al Cairo. Nel mite clima invernale egiziano, decine di migliaia di persone hanno montato piccole tende individuali e grandi tendoni aperti, enormi pezze di tela o fogli di plastica trasparente stesi su pali. I visitatori donavano cibo alla "tendopoli", che ha riunito persone di ogni età, ideologia e tendenza. Sono state formate commissioni popolari, un servizio di sicurezza volontario, un sistema di raccolta dei rifiuti, servizi medici, un "angolo dei pittori" dove i manifestanti più istruiti preparavano cartelli, mostre all'aperto di striscioni rivoluzionari, un palco improvvisato su cui i poeti potevano recitare le loro poesie, addirittura uno spazio all'aperto per i matrimoni. Queste commissioni e questi spazi speciali sono serviti da modello per i movimenti successivi in Europa e negli Stati Uniti.

Il 14 febbraio, la prima ondata di manifestazioni popolari negli Usa ha scosso il Campidoglio dello stato del Wisconsin, a Madison, e rapidamente ha raggiunto i campus universitari vicini e le città di Milwaukee, Green Bay e Columbus nell'Ohio. Nonostante la rivolta avesse un obiettivo specifico: opporsi al programma di tagli alla spesa sociale nel bilancio dello stato del Wisconsin, che limitava anche alcuni diritti di contrattazione collettiva, alcuni manifestanti sventolavano bandiere egiziane. Il 20 febbraio, il leader sindacale cairota Kamal Abbas pubblicava su YouTube un video di solidarietà con i "lavoratori nel Wisconsin": "Siamo al vostro fianco come voi siete stati al nostro," diceva.

In estate, le sollevazioni si erano propagate all'Africa subsahariana, all'America latina, all'Asia e all'Europa. Tutte queste proteste hanno influenzato quanti avrebbero poi partecipato a Ows. Senia, del gruppo di lavoro sulla stampa, per esempio, ha notato che gli occupanti di origini latinoamericane avevano tratto "una grandissima ispirazione" dalle proteste recenti, anche se poco pubblicizzate, in Cile, Colombia, Argentina, Brasile, Messico e Venezuela. Ma fra tutte le proteste del 2011, forse quella che ha avuto il maggiore impatto sulla forma e sulle strategie di Ows sono stati i grandi accampamenti degli *indignados*.

Coordinato attraverso Facebook e Twitter, il movimento spagnolo del 15 maggio, o 15M, ha marciato in una sessantina di città spagnole e ha piantato le sue tende in piazze pubbliche molto visibili, al che si deve il nome *las acampadas*, gli accampamenti. La televisione pubblica iberica ha stimato che al movimento si siano aggregati dai 6,5 agli 8 milioni di persone, per protestare contro i tagli alla spesa sociale, contro la disoccupazione salita al 20 per cento e altre conseguenze dell'avidità delle corporation.

Organizzando assemblee generali e gruppi di lavoro che formulavano le decisioni attraverso un processo basato sul consenso, gli indignados, ancor più dei manifestanti di piazza Tahrir, hanno creato strutture che Ows avrebbe poi riutilizzato e rifinalizzato. Willie Osterweil, un attivista impegnato in alcuni dei primi incontri di pianificazione per Ows, così come per la Nycga, l'assemblea generale di New York, e per una prima occupazione andata sotto il nome di "Bloombergville", ha descritto gli accampamenti spagnoli che ha visitato a giugno: "Questi campi sono diventati centri di informazione, di protesta e di vita rivoluzionaria: gli indignados hanno predisposto cucine per distribuire cibo gratuito, commissioni dedicate a temi specifici (l'ambiente, il mondo militare, i diritti delle donne ecc.) e tenevano incontri, *teach-ins* e discussioni pubbliche. Era una forma diversa di democrazia, in cui lavoro, risorse, decisioni erano tutti condivisi. Coprono le tende con cartelloni con slogan rivoluzionari, e dovunque vadano lasciano striscioni di tessuto, cartelli di cartone e graffiti".

L'occupazione spagnola ha elettrizzato Willie: "In Spagna ho recepito questo senso di urgenza e mi sono reso conto concretamente (anziché solo intellettualmente) della natura del momento storico e delle possibilità che ci si aprivano qui negli Usa," ha scritto in un blog. "L'accampamento ti dà una sensazione magica, ma è tutto raffazzonato, improvvisazione su improvvisazione: nastro adesivo, corde, tele cerate, tessuto, pali metallici per tende tese su un tetto di tela che si incurva, fogli di plastica appoggiati a tre lunghe aste di bambù tenute insieme con il nastro adesivo. Un gran temporale potrebbe tirar giù tutto, ma non si può dire lo stesso dello status quo? Questo accampamento, se fosse affiancato da un numero sufficiente di altri accampamenti simili in tutto il mondo, potrebbe essere quel temporale."

Nel corso della sua visita Willie ha preso contatti con gli indignados e in seguito ha discusso con loro mentre pianificava con altri attivisti le occupazioni di New York. "La mia esperienza in Spagna è stata incredibilmente importante e ha influenzato la mia partecipazione a Bloombergville, alla Nycga e alla fine a Ows." Le sue interazioni con gli indignados dimostrano anche quanto gli organizzatori in continenti diversi abbiano comunicato e si siano sincronizzati fra loro, condividendo idee e tattiche.

Fra le molte cose che hanno avuto in comune, i manifestanti in tutto il mondo hanno occupato spazi con un'importanza simbolica e hanno costruito una comunità di intenti, cercando di creare, in miniatura, il tipo di società in cui vorrebbero vivere, una società che si cura di tutti i bisogni dei suoi membri – cibo, vestiario, alloggio. Gli accampamenti hanno dato loro un senso di comunità e di famiglia, oltre che un luogo fisso in cui parlare fra loro e con la stampa. Facebook e Twitter sono censurati in qualche forma in alcuni paesi, ma molti manifestanti possiedono uno smartphone, il che ha consentito ai movimenti ben organizzati di mobilitare rapidamente un gran numero di persone. Questo spiega, almeno in parte, non solo la diffusione incendiaria delle proteste del 2011, ma anche la preferenza per l'organizzazione non gerarchica e per i processi decisionali "orizzontali", che assomigliano all'organizzazione delle reti sociali online più che alle strutture di governo tradizionali.

Quando Willie è tornato dalla Spagna e dalle manifestazioni degli indignados, i New Yorkers Against Budget Cuts (Nyabc), l'Iso (Internazionale socialista) e alcuni altri gruppi stavano inscenando un'occupazione in tono molto più dimesso contro i tagli alla spesa sociale proposti dal sindaco di New York Michael Bloomberg: avevano dato a questa occupazione di tre settimane il nome di Bloombergville. Se il Consiglio comunale avesse approvato la proposta del sindaco nella sua forma originaria, quattromila insegnanti delle scuole pubbliche avrebbero perso il lavoro e venti caserme dei pompieri sarebbero state chiuse. A partire dal 16 giugno, varie decine di manifestanti hanno occupato l'angolo fra Broadway e Park, vicino a City Hall, il municipio. Era giugno, le notti erano calde e le tende non erano necessarie: il gruppo iniziale dormiva in sacchi a pelo sotto impalcature. I maggiori sindacati municipali e degli insegnanti fornivano il cibo, c'era anche una piccola biblioteca e si tenevano teach-in con i docenti della Columbia University. L'occupazione è proseguita per qualche giorno ancora dopo il 29 giugno, quando il Consiglio comunale ha approvato un budget modificato.

Come i manifestanti che poi hanno preso parte alle prime assemblee generali e a Occupy Wall Street, gli occupanti di Bloombergville hanno parlato del forte senso di comunità provato nel corso di queste occupazioni e di questi incontri. Le persone presenti "costruivano relazioni molto strette e cameratesche", ha detto Jackie Di Salvo, sessantotto anni, professore del Baruch College e da molto tempo organizzatore sindacale. "Per me è stato molto facile dormire lì. C'erano persone che stavano sveglie tutta la notte per essere sicure che tutti stessero bene." Jez Bold, ventisette anni, che ha partecipato a Bloombergville la seconda settimana, da tempo aveva evitato forme più convenzionali di protesta politica, ma è rimasto "stupito dall'idea di questa comunità che si formava intorno a questa azione politica".

Per Jez il senso di comunità proveniva in parte dalla forma atipica del movimento: "Non era una protesta o una marcia, in nessun senso tradizionale. Certo non era una manifestazione in nessun senso tradizionale. Erano tutte persone che avevano semplicemente programmato di dormire lì, e così hanno dovuto lavorare tutte insieme per dormire lì". Jez ha visto gli abitanti di Bloombergville pianificare i pasti, creare una biblioteca, condurre teach-in e addirittura pensare a un'opera su Bloombergville. Questi progetti hanno creato un'atmosfera che Jez ha descritto come "una sorta di veranda. Come se tutti avessero una veranda a New York e si potesse scendere e girare nella propria veranda collettiva su Park Place e Broadway".

Jez è stato testimone anche dell'arresto dei "Bloombergville

13", che si sono legati fra loro nell'atrio per impedire al Consiglio comunale di votare i tagli al budget. "Si sono seduti tutti, si sono ammanettati con le manette di plastica l'uno all'altro, si sono messi in cerchio e si sono rifiutati di andar via. È arrivata la polizia, ha detto loro di andarsene e loro si sono rifiutati," ricorda Jez. "Hanno cominciato a tagliare le manette, qualcuno si è ammanettato di nuovo agli altri, e alla fine li hanno tirati su uno per uno e li hanno spinti dietro", arrestandoli tutti. Il giorno seguente il Consiglio comunale ha votato. "Tutti erano molto delusi", quando hanno saputo che erano stati approvati tagli pesanti, ma qualcuno si è rincuorato per il fatto che il Consiglio aveva modificato la proposta di Bloomberg e cancellato gran parte dei licenziamenti e delle chiusure delle caserme dei pompieri.

***

La Nyabc aveva appena concluso l'occupazione di Bloombergville quando, il 13 luglio, "Adbusters", una rivista ecologica e anticonsumismo con sede a Vancouver, ha diffuso il suo invito all'azione:

#OCCUPY WALL STREET
Siete pronti per un momento Tahrir?
Il 17 settembre invadete Manhattan, tirate su tende,
cucine, barricate pacifiche e occupate Wall Street.

Sul sito web della rivista, un post sotto l'invito esortava i lettori a cogliere lo *Zeitgeist* e a dar vita a un movimento che fosse "una fusione di piazza Tahrir con le acampadas di Spagna". L'autore del post immaginava una folla di ventimila persone che scendeva su Wall Street "per qualche mese" per "ripetere senza mai fermarsi una semplice domanda in una pluralità di voci". Per un movimento che più avanti sarebbe stato accusato di non avere richieste chiare, suona ironico che il post suggerisse che l'occupazione dovesse gravitare intorno a una sola: "Chiediamo che Barack Obama istituisca una commissione presidenziale con il compito di porre fine all'influenza che ha il denaro sui nostri rappresentanti a Washington".

"Adbusters" ha dato a Occupy Wall Street un nome, un compito e un appuntamento, insieme a una spinta gentile a prendere a modello le manifestazioni in Egitto e in Spagna; ma, poi, la rivista non si è impegnata un granché. Secondo Willie, "Adbusters" ha fornito uno scarso sostegno materiale all'occupazione: "Hanno dato un paio di belle immagini e l'idea, ma poi tutto il lavoro l'hanno fatto le persone sul campo a New York".

Quando la Nyabc ha saputo della convocazione di "Adbusters", il gruppo "era estremamente scettico che bastasse mettere qualcosa su internet [per mobilitare una protesta di quelle dimensioni], ma ha deciso di aderire e di vedere che cosa sarebbe successo", ha detto Jackie. Nel caso di Bloombergville, la struttura centrale e il processo decisionale erano stati l'assemblea generale, perciò Nyabc ha deciso di "convocare un'assemblea generale, vedere chi si sarebbe presentato, e partire da lì".

Il 2 agosto la prima assemblea generale si è riunita davanti alla statua del "Charging Bull", il Toro, un'icona di Wall Street situata alla punta del Bowling Green Park. "La maggior parte delle persone non aveva mai preso parte a un'assemblea generale," dice Jackie. "Perciò il raduno al Toro è stato condotto come una manifestazione, con degli oratori. C'è stata anche una discussione sulla possibilità di marciare subito, alla fine dei discorsi, su Wall Street." Quelli che erano venuti per prendere parte a un'assemblea generale hanno cominciato a perdere la pazienza, finché un'attivista, Georgia Sangri, alla fine ha urlato: "Questa non è un'assemblea generale" e ha persuaso un gruppo di persone a spostarsi dall'altro lato del Toro e a parlare seguendo quel modello. Molti che hanno seguito quella prima, breve assemblea generale avevano saputo della convocazione di "Adbusters", ma hanno rapidamente abbandonato l'idea di chiedere l'istituzione di una commissione presidenziale. Quella prima assemblea si è conclusa con il proposito di riunirsi nuovamente, una settimana dopo, all'Irish Hunger Memorial di Battery Park, nel centro di Manhattan. L'assemblea generale del 9 agosto ha insegnato al nuovo gruppo come funziona questo tipo di organizzazione: gli elementi di base del processo democratico. Da quel momento, essa si è riunita ogni settimana a Tompkins Square Park, nel quartiere di Alphabet City.

L'obiettivo di queste assemblee generali di agosto e degli inizi di settembre era pianificare una grande protesta anti-Wall Street per il 17 settembre. In previsione dell'evento, sono state formate nuove commissioni: una commissione mense, che ha raccolto mille dollari per le vettovaglie, la commissione studenti, la commissione per le relazioni esterne, il gruppo di lavoro per internet, il gruppo di lavoro su arte e cultura e la commissione strategia. Alcuni organizzatori dubitavano che la protesta potesse avere qualche risonanza, ma sostenevano comunque la necessità di una migliore organizzazione. A mano a mano che aumentava il numero delle persone che venivano a sapere dell'invito di "Adbusters", "anche quelli che all'inizio erano stati scettici hanno cominciato ad avere l'impressione che bisognava organizzare la cosa, perché era possibile che qualcuno si facesse davvero vedere!" dice Jackie. Le prime assemblee generali hanno fatto capire anche che "poteva essere pericoloso andare a Wall Street, se la gente non era preparata". Così sono state formate commissioni per affrontare le paure dei partecipanti e la preparazione è andata al di là dei problemi di sicurezza. Gli organizzatori temevano che, se tutto fosse finito in una bolla di sapone, la spinta che era andata montando nel corso dell'estate sarebbe sfumata. La commissione per le relazioni esterne si è assunta il compito di portare persone alle assemblee in modo che gli incontri continuassero, anche qualora quello del 17 settembre si fosse rivelato un'azione fallimentare. Inoltre, il gruppo di lavoro su arte e cultura ha progettato un "New York Fun Exchange Carnival" a Wall Street per la stessa data, con l'intento di utilizzare le attività culturali come ispirazione per il cambiamento politico.

Fra le commissioni formatesi nelle settimane precedenti il 17 settembre, quella che ha avuto maggiore impatto è stata probabilmente la commissione strategia. Mentre quella per le relazioni esterne lavorava per attirare persone alle assemblee generali, e quella per l'arte e la cultura cercava di coinvolgere la fantasia, la commissione strategia "ha determinato l'ora e il luogo per la prima assemblea generale e tutto quello che si sarebbe dovuto fare per farla avere luogo". Hanno sperimentato qualche occupazione per scoprire se sarebbe stata possibile in un parco pubblico o a Wall Street. Agli inizi di settembre, alcuni hanno provato a Tompkins Square Park, ma la polizia li ha buttati subito fuori alla chiusura serale del parco; altri, del gruppo arte e cultura, hanno cercato di occupare la stessa Wall Street il 1° settembre, ma la polizia li ha circondati e arrestati. Un membro della commissione ha detto che il gruppo si aspettava che "la polizia fosse particolarmente repressiva" il 17 settembre e il piano era "tentare di indire un'assemblea generale in un posto" e poi "spostarsi in un altro posto e poi in un altro ancora nel corso del fine settimana". Il gruppo ha esplorato la zona sud di Manhattan alla ricerca di parchi pubblici e di spazi pubblici di proprietà privata che potessero contenere almeno duemila persone. Si cercavano luoghi che fossero "abbastanza vicini a Wall Street da mantenere il valore simbolico" e che offrissero più vie di uscita, nel caso la polizia minacciasse di intervenire e arrestare i partecipanti.

Otto spazi soddisfacevano i criteri della commissione strategia, e fra questi c'era Chase Manhattan Plaza, la loro prima scelta. Quando la commissione ha scoperto, a mezzogiorno del 17 settembre, che "Chase Plaza era completamente transennata" e che i manifestanti "non sarebbero riusciti a tenerci un'assemblea generale", "sono andati negli altri luoghi proposti, che non erano stati comunicati a nessuno fino a quel momento, e hanno convenuto che Zuccotti Park sarebbe stata la scelta migliore" per ospitare gli eventi della giornata. Alle 14.30 i membri della commissione hanno distribuito agli "organizzatori degni di fiducia" copie della loro mappa, fino ad allora rimasta riservata, dei luoghi alternativi e alle 15.00 Occupy Wall Street teneva la sua prima assemblea generale ufficiale e aveva trovato una nuova sede a Zuccotti Park.

È nata un'occupazione

> Le persone che avevano partecipato ad altre
> assemblee generali non sono arrivate [a Zuc-
> cotti Park] con i sacchi a pelo; non avevano
> previsto di rimanere per la notte.
>
> *Marina Sitrin, membro del gruppo di lavoro*
> *dei facilitatori di Ows*

Matt Presto, insegnante e dottorando che aveva partecipato a molti degli incontri di preparazione dell'assemblea
generale di New York a Tompkins Square Park, è tornato
al suo appartamento il venerdì sera dopo un incontro in cui
un piccolo gruppo di persone, in prevalenza giovani e bianche, aveva preparato dei piani dell'ultimo minuto per il sabato 17 settembre. Prevedendo la possibilità di un arresto,
aveva mandato un messaggio di posta elettronica a un col-
lega di lavoro: "Tanto perché tu lo sappia, potrei non venire al lavoro lunedì". È rimasto alzato fino a tardi, chiac-
chierando con sei amici arrivati a New York dall'Ohio per
l'evento Ows. Hanno discusso il probabile comportamento
della polizia di New York (Nypd): spray al peperoncino, tecniche di contenimento, uso degli sfollagente, persone but-
tate a terra. Hanno improvvisato dei kit di pronto soccorso con bende, garze e una soluzione di acqua e antiacido
per pulire gli occhi.

Anche la polizia si stava preparando. Il portavoce del dipartimento di polizia Paul J. Browne ha detto al "New York
Times": "Non sono stati richiesti permessi per la manifestazione ma i programmi erano ben noti pubblicamente".
(Gli organizzatori sospettavano che i loro incontri di preparazione fossero stati infiltrati da informatori della polizia.) Il sabato mattina il municipio ha fatto chiudere parti
di Wall Street vicino al palazzo della Borsa e a Federal Hall.

Alle 10.00, transenne metalliche presidiate dalla polizia chiudevano gli isolati di Wall Street fra Broadway e Williams Street.

Intorno a mezzogiorno Matt Presto è arrivato a Bowling Green Park, accanto al famoso Toro e vi ha trovato circa quattrocento persone "che circondavano la statua e cantavano, con cartelli e tutto". A mezzogiorno, un gruppo di manifestanti si è seduto, appoggiandosi alla transenna metallica che bloccava l'accesso a Wall Street, formando quello che il "primo comunicato" di Ows ha definito un "blocco spontaneo". La polizia ha minacciato di arrestare i dimostranti che si erano seduti, perciò questi si sono alzati e si sono allontanati. Alle 14.00, circa una ventina di poliziotti in uniforme ha circondato il Toro mentre, come ha scritto eufemisticamente il "New York Times", "altri intervenivano per disperdere l'assembramento". Nel frattempo, vari partecipanti hanno organizzato lezioni improvvisate di yoga e di tai chi a Bowling Green Park.

Alle 15 una folla di circa mille persone ha cominciato a confluire, secondo i piani, verso Chase Plaza. Il reverendo Billy Talen della chiesa di Stop Shopping e Rosanne Barr hanno parlato attraverso un megafono. Sono stati distribuiti vassoi di pane a fette e vasetti di burro di arachidi Skippy; alcune bancarelle fornivano frutta.

La commissione strategia aveva preparato una mappa su cui erano indicati sette luoghi possibili per un'assemblea generale. Alle 14.30 erano state distribuite parecchie centinaia di fotocopie della mappa a Chase Plaza, con l'istruzione di recarsi alla "Location due", Zuccotti Park, "nel giro di trenta minuti".

Zuccotti Park confina a ovest con Trinity Place, a est con la Broadway e a nord e sud, rispettivamente, con Liberty e Cedar Street; noto nel movimento con il nome originale di Liberty Square o Liberty Plaza (il cambiamento di denominazione è avvenuto nel 2006), si trova proprio nel centro di Lower Manhattan, fra Wall Street e il sito di quello che era il World Trade Center. Il quartiere è pieno di turisti, ma anche di impiegati nel settore della finanza, di addetti dei servizi e di lavoratori edili del vicino cantiere della Freedom Tower. Anche se il parco è di proprietà privata, l'azienda che ne è proprietaria lo ha reso pubblico e il luogo non è nuovo a proteste politiche non autorizzate. (Agli inizi dell'estate del 2010 vi si è tenuta una manifestazione antimoschea, in cui circa trecento dimostranti di destra, aggirando una richiesta di autorizzazione negata, per buona parte di un pomeriggio hanno riempito il lato ovest del parco con cartelli contro i musulmani e con bandiere americane e di Gadsden.)

La folla ha attraversato il distretto finanziario cantando: "Wall Street is our street" [Wall Street è la nostra strada] e "Power to the people not to the banks" [Potere al popolo, non alle banche]. A Zuccotti Park una commissione per le mense ha fatto circolare panini e acqua mentre i partecipanti cantavano, danzavano e guardavano spettacoli di marionette.

Anche se per le 15 era stata annunciata un'assemblea generale, "si è deciso che ci saremmo divisi in piccoli gruppi per discutere che cosa la gente volesse vedere uscire da tutto questo e perché fosse interessata a Occupy Wall Street", ricorda Matt Presto. "Abbiamo passato un sacco di tempo a cercare di spiegare il processo, perché per molti era una cosa del tutto nuova."

Secondo Marina Sitrin, membro del gruppo di lavoro dei facilitatori di Ows, che insegna alla City University di New York, l'idea iniziale era quella di tenere "una discussione politica sul perché siete frustrati" per lo stato del mondo e "che cosa vi ispira, che cosa vorreste vedere nel mondo?". I discorsi si sono rapidamente concentrati sui programmi per l'occupazione stessa. "Quello di cui erano pronte a parlare le persone venute a Zuccotti Park era come avrebbero occupato, che cosa sarebbe potuto succedere e come sarebbe stato il giorno dopo." I partecipanti "volevano andare diretti al sodo, alla domanda: allora, siamo qui per occupare o no?".

Molti di quelli che avevano partecipato ai precedenti incontri dell'assemblea generale di New York a Tompkins Square Park dubitavano che Ows avesse un futuro. Marina notava che "le persone che avevano partecipato a precedenti assemblee generali non sono arrivate con i sacchi a pelo – non avevano previsto di rimanere per la notte". Un'altra facilitatrice, Marisa Holmes, ricorda: "Anch'io, come molti altri, pensavo che tutto sarebbe finito in una bolla di sapone nel giro di un paio di giorni".

Quando si è avvicinato il momento dell'assemblea generale, un gruppo di quaranta o cinquanta persone si è riunito per pensare come condurla. Alla fine Marina, Marisa e alcuni altri che erano stati alle assemblee di Tompkins Square si sono detti disposti a fare da facilitatori. Ricorda Marina:

> È stato bello e potente. Abbiamo cominciato con i megafoni, ma non ha funzionato molto bene. Eravamo in piedi in centro su una delle panchine e tutti erano in piedi intorno in cerchio, perciò dovevamo parlare in due direzioni. Dopo una decina di minuti o un quarto d'ora abbiamo messo giù i megafoni e ho cominciato a parlare alle persone di fronte a me utilizzando il microfono umano, una cosa che avevamo provato nell'addestramento dei facilitatori due sere prima. Io avevo partecipato e l'avevo visto usare a Seattle durante le proteste contro il Wto del 1999, ma l'avevo sempre pensato come una cosa utile sulla strada per comunicare informazioni. Non l'avevo mai preso in considerazione come modo per condurre un'assemblea. Ma eravamo proprio al centro di un gruppo di duemila persone e i megafoni non funzionavano.

Marina diceva qualche parola alle persone più vicine, poi chiedeva loro di ripeterle all'unisono agli altri.

> Quella prima sera di uso del microfono umano la gente non l'aveva mai fatto prima, ma tutti hanno capito subito. Crea un'atmosfera di ascolto attivo e di partecipazione. Non appena abbiamo iniziato il microfono umano, le vibrazioni e l'energia sono cambiate totalmente.

L'assemblea generale ha deciso che il gruppo avrebbe occupato Zuccotti Park per la notte e vi avrebbe tenuto un'assemblea generale la mattina successiva alle 10. Circa trecento persone si sono sistemate nei sacchi a pelo, mentre la polizia aspettava lì vicino. Matt Presto ricorda di essersi "sentito piacevolmente sorpreso", ma "ancora teso per quello che sarebbe successo dopo" e di aver pensato "Per quanto tempo la polizia tollererà tutto questo? Probabilmente ci disperderanno domenica sera o lunedì".

***

Alexandre de Carvalho, un ventottenne di Rio de Janeiro che aveva fatto parte della commissione arte e cultura sin da quando era iniziato il progetto di occupazione, ci ha descritto la sua prima notte nel parco. "Era freddo e si stava male," ha detto. Non erano consentite le tende, e la maggior parte degli occupanti aveva solo dei leggeri sacchi a pelo e dei cartoni fra sé e il selciato.

Alex si è svegliato intorno alle sei del mattino, dopo due sole ore di sonno vero, incerto su come sarebbe stata la prima giornata completa di occupazione: "Ancora non avevamo pensato che cosa fare".

Amy Roberts, ora fra i cofondatori dell'archivio Ows, ha colto questa incertezza quando è andata a vedere l'occupazione nei primi giorni. "Non sapevo bene che cosa pensarne. Era proprio una cosa del tutto diversa da tutto quello che avevo visto in precedenza," ci ha raccontato, confessando che dapprima aveva giudicato gli occupanti "ingenui". "Ero stata attiva in così tante cose e per così tanti anni, senza vedere mai le cose andare da qualche parte, e così non avevo molta voglia di farmi coinvolgere. Ma ho continuato a tornare." Le prime discussioni fra gli occupanti, dice, riguardavano soprattutto "come comportarsi con la polizia e poi proprio come organizzare le discussioni".

Nella prima piena giornata di occupazione, la polizia ha chiesto agli occupanti di togliere, la domenica mattina, i cartelli fissati con il nastro adesivo agli alberi del parco e la questione se obbedire o meno ha assorbito l'assemblea generale delle 10. Intorno a mezzogiorno un gruppo, stanco di parlare, si è staccato dall'assemblea e ha cominciato a marciare intorno alla piazza, cantando e invitando gli altri a unirsi a loro. Nel giro di poco tempo, una grande folla ha cominciato a scendere danzando per Broadway verso Battery Park nel sole di settembre, invitando i turisti e cantando: "È più divertente che andare a fare shopping".

I facilitatori erano ben disposti verso l'interruzione: al suo ritorno, il gruppo in marcia è stato accolto da un applauso e i facilitatori hanno annunciato che l'assemblea generale si sarebbe riunita nuovamente alle 15, ma l'episodio aveva fatto sorgere dei dubbi sulla possibilità di incanalare efficacemente le energie del gruppo nel processo di consenso.

I dubbi si sono dissolti quando l'assemblea si è riunita nuovamente alle 15. Questa volta non si è sciolta fino alle 22.30 ed è riuscita a prendere alcune decisioni importanti su come gli occupanti si sarebbero comportati con la polizia e gli uni con gli altri: non ci sarebbe stato alcun contatto ufficiale con gli agenti; la commissione strategia avrebbe avuto il mandato di scovare luoghi alternativi, nel caso ci fosse stato uno sgombero da Zuccotti Park.

Anche se l'occupazione doveva ancora capire come definirsi, stava già attirando il sostegno di persone di tutto il paese e di ogni parte del mondo. Justin Wedes, membro del gruppo di lavoro per gli approvvigionamenti, spiega che, dopo ventiquattro ore, gli occupanti si erano stancati di mangiare frutta e burro di arachidi. Il suo gruppo ha chiesto online informazioni su piccoli esercizi locali a conduzione familiare che potessero fornire cibi caldi ed è stato sorpreso di scoprirne uno con un nome che sembrava "proprio in linea con la nostra missione": Liberato's Pizza. Wedes ha chiesto via tweet chi potesse ordinare una pizza e nel giro di poche ore il ristorante è stato "inondato di chiamate da tutto il mondo" da parte di persone che ordinavano cibo per i manifestanti, pagando con le loro carte di credito. Gli occupanti hanno dovuto mandare un gruppo d'aiuto per il trasporto delle pizze: il personale non era abbastanza nutrito da tener testa al desiderio di tutto il mondo di alimentare il movimento ai suoi primi passi.

Il martedì mattina ha cominciato a piovere e gli occupanti si sono spostati per proteggere le loro cose e i loro dispositivi di comunicazione con i teloni. Secondo il sito web occupywallst.org, uno dei principali forum online del movimento, la polizia è arrivata intorno alle 19 con i megafoni, dichiarando illegali i teloni. Gli occupanti hanno tenuto un'assemblea generale d'emergenza e hanno deciso di tenere i teloni sollevati con le mani.

Secondo la polizia di New York, però, i teloni, anche se tenuti sollevati da persone, erano ancora strutture fisse. Gli agenti hanno cominciato a strapparli dalle mani degli occupanti. Quando un giovane si è seduto su un telone per proteggere i suoi apparecchi, la polizia lo ha gettato a terra, di faccia, e lo ha arrestato. Un altro video postato sul sito mostra la polizia che trascina un manifestante dal parco al marciapiede tirandolo per i piedi e negando a un fermato asmatico il suo inalatore. In totale quel giorno sono state arrestate sette persone e la polizia se ne è andata con le braccia cariche di teloni blu confiscati.

Il mercoledì, nonostante le migliori intenzioni del maltempo e della polizia di New York, Zuccotti Park era diventato una sorta di villaggio temporaneo che avrebbe catturato l'immaginazione popolare per i tre mesi successivi. Un tavolo informativo agli ingressi del parco annunciava il programma del giorno: marce quotidiane su Wall Street sincronizzate con gli orari di apertura e chiusura, assemblee generali alle 13 e alle 19. C'erano medici in servizio. La squadra delle cucine aveva predisposto una stazione di lavoro. Cartelloni colorati decoravano il marciapiede e il circolo dei percussionisti ha continuato a suonare per tutto il tempo, che piovesse o ci fosse il sole.

È stata l'assemblea generale del mercoledì, dice Amy Roberts, ad averla convinta a rimanere. Il lunedì sera, l'assemblea si era suddivisa in piccoli gruppi per stendere una bozza dei Princìpi di solidarietà. Questi princìpi erano stati raccolti e consolidati da un gruppo di lavoro e ora l'assemblea si suddivideva di nuovo in gruppi per discutere ulteriormente e modificare la bozza. Ascoltando quelle libere discussioni, dice Roberts, "sono rimasta molto colpita da come... proprio l'idealismo di tutti, sai, l'ottimismo".

Lo stesso gruppo di lavoro poi ha raccolto i commenti e le modifiche di tutti e ha prodotto una seconda bozza dei

Princìpi di solidarietà, presentata all'assemblea generale venerdì 23 settembre. Dopo che sono stati presentati ed elaborati quattro blocchi, l'assemblea generale ha cercato nuovamente il consenso. L'anonimo estensore delle minute di quel giorno ha registrato che "tutti erano emozionati che fosse stato raggiunto il consenso e che il documento sarebbe stato pubblicato online, in uno dei più begli esempi di vera democrazia che, personalmente, abbia mai visto".

I "Princìpi di solidarietà", il primo documento ufficiale prodotto dall'occupazione, erano, e sono:

- Praticare una democrazia partecipativa diretta e trasparente;
- Esercitare la responsabilità personale e collettiva;
- Riconoscere il privilegio intrinseco degli individui e l'influenza che ha in tutte le interazioni;
- Responsàbilizzarsi a vicenda contro ogni forma di oppressione;
- Ridefinire la valutazione del lavoro;
- La sacralità della sfera privata individuale;
- La convinzione che l'istruzione è un diritto umano;
- Impegnarsi a praticare e sostenere l'applicazione estesa dell'open source.

Quella settimana, oltre a elaborare i propri princìpi definitori, Ows iniziava anche a costruire rapporti di solidarietà con altre cause e altre organizzazioni. Il mattino di giovedì 22 settembre, gli attivisti di Ows hanno interrotto un'asta da Sotheby's a sostegno dei mercanti d'arte esclusi, riuniti nella sezione 814 del sindacato Teamsters. Poi, intorno alle 19, la stessa sera, una protesta a Union Square contro l'esecuzione di Troy Davis, detenuto nelle carceri della Georgia e condannato alla pena capitale, ha dato avvio a un corteo improvvisato fino a Zuccotti Park. Insieme, i manifestanti e gli occupanti si sono diretti verso Wall Street. L'ormai comune "La strada di chi? La nostra strada!" si è trasformato in "La strada di chi? La strada di Troy!" mentre i manifestanti facevano capire alla capitale finanziaria del paese che da quel momento sarebbe andata a far compagnia agli edifici federali, statali e municipali come bersaglio della collera pubblica.

Sabato 24 settembre, dopo una settimana di marce quotidiane a Wall Street nelle ore di apertura e chiusura, gli attivisti hanno deciso di dirigersi verso la periferia. Uno dei partecipanti, Brennan Cavanaugh, è rimasto sorpreso ed entusiasta al vedere la folla che percorreva Broadway in senso contrario al traffico: "A quel punto ho capito: questo è il tipo di manifestazione che posso seguire – una marcia di guerriglia non autorizzata. E la gente continuava a urlare 'All day, all week: Occupy Wall Street!' [Tutto il giorno, tutta la settimana: occupare Wall Street]. La polizia chiaramente non sapeva che cosa fare. Continuava a cercare di bloccare le strade per impedire alla gente di andare verso nord, ma la gente non faceva altro che aggirarla".

Secondo Cavanaugh, la manifestazione ha cominciato a perdere intensità quando ha raggiunto Union Square, e i dimostranti non avevano le idee chiare di dove andare da lì. È stato a quel punto che la polizia si è mossa, bloccando la Twelfth Street, University Place e Fifth Avenue con le reti arancioni. Il movimento era rimasto tranquillo, ma la dinamica è cambiata quando il viceispettore Anthony Bologna ha usato lo spray al peperoncino contro un gruppo di manifestanti, in prevalenza donne, che già erano stati chiusi nella rete arancione. Il video dell'incidente, in cui una ragazza all'improvviso cade in ginocchio con un urlo e si copre il volto con le braccia, si è subito diffuso viralmente in internet ed è stato ritrasmesso molte volte dai media ufficiali. Come ha detto Cavanaugh, è stato "l'urlo che ha fatto il giro del mondo". Il messaggio di Ows aveva cominciato a diffondersi lungo l'arco della settimana precedente, ma le immagini delle violenze della polizia il 24 settembre hanno dato un impulso ulteriore al movimento.

Quel giorno furono arrestati ottanta attivisti, fra cui anche Cavanaugh. "Stavo fotografando qualcuno che era stato buttato faccia a terra e che stavano arrestando, e hanno srotolato la rete arancione dietro di me. Ho sentito il rumore della plastica per terra. Ho cercato di superarla ma, non appena ho alzato la gamba, loro l'hanno sollevata e io sono rimasto preso in mezzo. Un tizio che non avevo mai visto prima, in borghese, mi ha stretto il polso e mi ha messo delle manette di plastica."

Cavanaugh è rimasto in cella con altri manifestanti per tre ore. È stato rilasciato alle 15, più vicino al movimento che mai: "Dopo quello," dice, "sono stato dentro a tutta questa cosa".

L'assemblea generale

Se qualcuno non ha rispetto per le identità degli altri, o parla da una prospettiva limitata, questo verrà aggiunto alla conversazione. Le persone saranno chiamate a risponderne.

DiceyTroop, reporter dell'assemblea generale su Twitter

L'assemblea generale, straordinaria dimostrazione serale di democrazia consensuale in azione, è diventata rapidamente una delle esperienze che hanno definito Occupy Wall Street. Nessuno di quelli che hanno seguito le riunioni, che si tenevano in genere alle 19 all'ombra della grande statua rossa all'estremità orientale di Zuccotti Park, poteva rimanere indifferente allo spirito di comunità generato dall'assemblea; tutti ne sono stati colpiti.

I partecipanti, che qualche sera erano anche migliaia, sedevano sui gradini che scendono da Broadway, o si raccoglievano ai piedi della scalinata, sulla pavimentazione del parco. Dietro di loro, gli attivisti si radunavano in file serrate, qualcuno sul bordo delle aiuole, mentre altri si stendevano fra gli alberi bassi che schermano l'interno del parco dal sole. Chi parlava lo faceva dalla gradinata, e l'unica cosa che distinguesse gli oratori era il fatto che fossero in piedi, in mezzo ai facilitatori, e che urlassero le loro parole nella cadenza ritmicamente regolare richiesta dal microfono umano.

La composizione variegata dell'assemblea era evidentissima: vicino a quelli che dormivano nel parco, con l'aspetto e il vestiario provati dai rigori dell'accampamento all'aperto, c'erano impiegati puliti, che evidentemente avevano fatto una deviazione mentre tornavano a casa; vecchi attivisti, abbigliati come se fossero appena rientrati dal concerto di Country Joe a Woodstock, erano seduti vicino a studenti universitari vestiti, be', più o meno nello stesso modo.

Ciò che teneva unita quella varia umanità era un senso tangibile di solidarietà, un impegno nei confronti della causa dell'occupazione, ma anche un palese coinvolgimento reciproco. Non era raro che cibo, pacchetti di biscotti, ciambelline o bottiglie d'acqua venissero fatti passare di mano in mano, condivisi da estranei che erano appena diventati compagni. La folla era unita anche da una cortese ma salda determinazione a rispettare i diritti degli altri allo spazio, a essere ascoltati, a essere quello che si è.

Questo rispetto si estendeva ai facilitatori che conducevano gli incontri, persone dotate di una pazienza e di una disponibilità quasi sovrumane, viste le negoziazioni, spesso tortuose e lunghissime, sugli aspetti procedurali. Presentandosi solo con il nome e scambiandosi a rotazione le responsabilità, sia all'interno di ogni incontro sia in sere diverse, il loro impegno a non porsi in alcun modo come "leader" risultava ammirevole, anche se non sempre convincente. Gestire un incontro di centinaia o migliaia di persone, senza amplificazione e in base a regole che molti dei presenti non conoscevano, richiedeva una considerevole dose di carisma e di eloquenza, doti che i giovani facilitatori dell'assemblea generale avevano in abbondanza.

Quanti parlavano all'assemblea generale spesso facevano fatica a tenere a freno l'emozione: sentire le proprie parole rimbalzare per l'eco dalle torri delle banche circostanti il parco quando venivano ripetute, magari anche tre volte, da cerchi concentrici sempre più ampi di folla, era evidentemente un'esperienza strana ma che toccava in profondità. All'assemblea della sera successiva allo sfratto delle tende dal parco, più di una delle persone che hanno parlato ha espresso il suo amore per l'assemblea, una dichiarazione che in incontri più convenzionali sarebbe risultata melensa e ingenua, ma in quelle circostanze è stata presa, senza imbarazzo, come un atto autentico di comunione.

Formalmente, l'assemblea aveva una funzione prosaica: era il corpo decisionale dell'azione e il forum attraverso il quale gli organizzatori verificavano che le esigenze dei partecipanti fossero soddisfatte: relazioni dei gruppi che si occupavano del cibo, dell'assistenza legale e medica, dell'igiene e della sicurezza occupavano gran parte del tempo. Ma offriva anche la sede in cui i manifestanti potevano esprimere le loro lamentele, decidere azioni dirette e dibattere la strategia del movimento, fra le altre cose. Anche se l'uso del microfono umano e del processo decisionale basato sul consenso spesso si dimostravano laboriosi, lunghi e frustranti nella soluzione di questioni particolari, l'assemblea si è dimostrata efficacissima come strumento per creare legami e per definire i princìpi più ampi dell'azione.

Il gruppo di lavoro dei facilitatori si è assunto la responsabilità di preparare l'odg, di mantenere l'ordine e di tenere tranquilla una folla a volte un po' distratta. I facilitatori erano stati addestrati prima di condurre la loro prima assemblea, perciò conoscevano già le tecniche per far sì che tutte le opinioni potessero essere espresse nel modo più rispettoso ed efficiente. Per evitare che emergesse una leadership radicata, i facilitatori non potevano condurre due incontri di seguito e perciò si scambiavano a rotazione date e incarichi. Chi era alle prime armi era costantemente affiancato da qualcuno più esperto, in modo che ci fosse sempre un livello di competenza adeguato.

A chi non era abituato, l'assemblea generale qualche volta poteva apparire opprimente, poco concentrata e poco produttiva e anche quanti avevano già partecipato ad azioni precedenti, e quindi conoscevano già i princìpi di partecipazione, consenso e trasparenza che erano alla base del modo di condurre l'assemblea, sono rimasti sorpresi al vedere quel modello applicato in uno spazio pubblico con un numero di presenti così elevato. Per risolvere il più possibile gli inevitabili problemi, i facilitatori dedicavano i primi minuti di ogni incontro a spiegare i meccanismi in base ai quali si svolgeva l'assemblea.

Innanzitutto i segnali con le mani che consentivano alla folla di comunicare "in massa" al proprio interno e con i facilitatori. Fra questi gesti, quello usato più spesso è la mano alzata con le dita che ondeggiano, il *twinkling* nell'Asl, il linguaggio americano dei segni, usato per indicare un applauso. Durante Ows, il segno si è evoluto e ampliato, come ci ha spiegato Marina Sitrin, la cui esperienza come facilitatrice risale alle mobilitazioni anti-Wto del 1999: "Mediante l'ondeggiare delle dita a mani alzate puoi vedere la reazione della persona che ti sta vicino. È contenta o no? Le piace quello che sta succedendo? Il linguaggio ha cominciato a cambiare, perciò adesso quando parliamo di questo segno non intendiamo più tanto un applauso silenzioso, quanto un *Ti piace?*. Adesso è una specie di controllo della temperatura, c'è l'ondeggiare con le dita nel mezzo e quello con le dita dirette verso il basso. Se ondeggi le dita tendendole diritte davanti a te vuol dire 'sono neutrale'. Questo è il linguaggio che la gente usa, *Sono nel mezzo*. E se invece muovi le dita tenendole puntate verso il basso vuol dire *Non mi piace*, *È una cosa che non sento*. La prima volta che l'ho visto [il controllo della temperatura] è stato a Occupy Wall Street, e sono stata in un sacco di spazi democratici. Mi piace perché è un modo di gridare, ma senza gridare".

Nelle assemblee generali si usa comunemente una serie di altri gesti con le mani: una richiesta di procedura viene segnalata formando un triangolo con i pollici e gli indici; indica che si è verificata una trasgressione delle regole convenute, magari qualcuno ha parlato quando non toccava a lui o è andato fuori tema, e chiede ai facilitatori di riportare la discussione sui binari giusti. Il punto di informazione è una mano alzata con l'indice esteso, e significa che chi segnala ha un'informazione importante relativa all'argomento che si sta discutendo. Il segno di chiarimento si fa piegando la mano a c, e indica che una persona è confusa e ha bisogno di formulare una domanda per capire meglio la discussione. E il segno di stringi, un movimento rotatorio delle mani, vuole essere un invito, benevolo e rispettoso, come sottolineano sempre i facilitatori, a chi sta parlando, di concludere le sue osservazioni e lasciare spazio agli altri che devono parlare.

Fra tutti i segnali usati nell'assemblea, il blocco è il più impegnativo: incrociando le braccia sul petto, si vuole indicare un'obiezione forte, di ordine morale o pratico, alla proposta. I facilitatori ammoniscono regolarmente di non farne un uso eccessivo, e spiegano che si tratta di una misura estrema, indica che chi avanza l'obiezione lascerà il gruppo se le sue preoccupazioni non vengono prese in considerazione. Normalmente, chi fa il blocco spiega i motivi della sua obiezione e offre un "emendamento amichevole", pensato in modo che la proposta in discussione si trasformi in qualcosa che può accettare.

Come molti altri aspetti delle procedure di Ows, l'uso dei segnali con le mani ha una storia lunga. Secondo Marina, "gli strumenti e il linguaggio [usati da Ows] derivano dai quaccheri. Parliamo di altre generazioni, del movimento contro la guerra, del movimento femminista; molti movimenti sociali diversi negli Stati Uniti hanno usato forme differenti di consenso, fra cui vi sono anche gli strumenti [di facilitazione]". Marina ha anche sottolineato che, essendo silenziosi, i gesti delle mani sono particolarmente utili nelle grandi assemblee, dove applausi o urla di approvazione ruberebbero tempo che dovrebbe invece essere riservato alla materia in discussione, una considerazione particolarmente importante per incontri che si svolgono al ritmo da tartaruga del microfono umano.

L'altra componente strutturale importante dell'assemblea generale è l'uso della pila progressista per ordinare i commenti alle proposte. Nei primi giorni, quando le assemblee si tenevano a Tompkins Square, il gruppo organizzativo centrale si è reso conto che, nonostante l'apertura e il desiderio di diversità, la maggioranza delle persone che intervenivano rimaneva ostinatamente costituita da maschi bianchi. Per controbilanciare questa mancanza di equità, è stata presa la decisione di dare la priorità ai gruppi, le cui voci non si sentono normalmente tanto spesso, come le donne e le persone di colore. Orchestrare una pila progressista fa parte del ruolo di chi tiene conto di quelli che vogliono parlare durante l'assemblea. "Se qualcuno non ha rispetto per le identità degli altri, o parla da una prospettiva limitata, questo verrà aggiunto alla conversazione. Le persone saranno chiamate a risponderne. Il processo rende più facile farlo," spiega DiceyTroop, membro del gruppo per la stampa che ha fatto la cronaca dal vivo delle assemblee generali via Twitter.

Questa sensibilità alla mancanza di equità presente nella società in generale contribuisce alla diffidenza di fondo degli organizzatori di Ows verso qualsiasi forma di struttura gerarchica. Un'altra caratteristica del segmento introduttivo dell'assemblea generale è una spiegazione dell'idea di passo avanti/passo indietro. Questa idea cerca di spingere chi chiede di poter parlare a riflettere se "fare un passo avanti" riconoscendo il proprio ruolo relativamente privilegiato nella società in generale o cedere il posto, ovvero "fare un passo indietro", per consentire a qualcuno, che appartiene a un gruppo che tradizionalmente ha avuto meno opportunità, di far sentire la sua voce.

I segni con le mani, la pila progressista e il passo avanti/passo indietro sono gli elementi fondamentali con cui i facilitatori cercano di garantire una democrazia vera negli incontri. Dopo averne spiegato l'uso, all'inizio dei lavori, poi introducono l'ordine del giorno. Nella maggior parte dei casi si tratta di un insieme vario di proposte, relazioni dei gruppi di lavoro e annunci. Nel corso di questa parte dell'incontro, i partecipanti sono invitati a non dilungarsi nell'esporre le loro opinioni e le cose procedono secondo il ritmo consentito da microfono umano, punti di informazione, richieste di chiarimento, emendamenti e controlli di temperatura. La possibilità di parlare liberamente, per i presenti, arriva verso la fine dell'assemblea, con una sessione denominata proprio "palco improvvisato". Questa fase dell'incontro può ovviamente protrarsi per ore nella notte, spesso con un pubblico che va scemando, ma sempre applicando le stesse regole di discorsi affermativi e di rispetto per il diritto di parola di tutti.

Con il tempo le procedure dell'assemblea generale sono diventate più sofisticate: i gruppi di lavoro che portano proposte all'assemblea, per esempio, devono pubblicarle sul sito web di Ows quarantotto ore prima, in modo che tutti possano valutarle e programmare di essere presenti nel momento in cui si discute di argomenti che considerano di particolare importanza. Inoltre ora l'assemblea generale non è più l'unico organo decisionale di Ows: è stata decisa l'istituzione del "consiglio dei portavoce" (*spokescouncil*), costituito da rappresentanti di ciascuno dei gruppi di lavoro, in modo che il movimento possa coordinare meglio le decisioni di ordine finanziario e legale.

L'assemblea generale non sempre funziona senza intoppi. I lavori possono venire ostacolati facilmente da richieste non necessarie di "prova microfono" o da troppi punti di informazione. Anche se l'uso del blocco in genere è contenuto, talvolta può mandare nel caos un consenso altrimenti ampio. Inoltre, il fatto che gli incontri siano pubblici, aperti a chiunque si presenti, e con l'intento di dare voce a tutti coloro che vogliono parlare, pone parecchi problemi. Agli incontri possono assistere persone del tutto ignare delle modalità di lavoro di Ows o, peggio, non in sintonia con i suoi obiettivi. La folla varia, sia nelle dimensioni sia nella natura, da un incontro all'altro, la maggior parte dei presenti non segue costantemente tutti gli incontri e per qualcuno magari quella è la prima e l'unica presenza. Inoltre dopo lo sfratto delle tende, il problema di chi partecipa è diventato particolarmente acuto. La polizia ha cominciato a impedire l'ingresso nel parco a chiunque portasse con sé un bagaglio ingombrante: così un gruppo di persone, fra cui molti degli occupanti iniziali, che si fermavano per la notte, e alcuni dei senzatetto, non ha potuto seguire le riunioni.

Di fronte alle difficoltà intrinseche al processo dell'assemblea generale, facilitatori e organizzatori hanno continuato a lavorare per rendere gli incontri più accessibili. Proposte d'emergenza possono essere accolte nell'assemblea anche se non sono state fatte circolare in anticipo, le minute dei lavori vengono pubblicate sul sito web di Ows e una cronaca in diretta di quello che succede viene condotta dalla squadra stampa attraverso i social media. Dicey-Troop è solo una delle persone che si sono assunte il compiti di twittare dal vivo il resoconto delle assemblee generali e dei consigli dei portavoce. Anche il video in streaming su blog come *The Other 99%* contribuisce a far circolare l'informazione.

Continuano le discussioni su come perfezionare e sviluppare il processo e restano aperte domande importanti, per esempio se il modello dell'assemblea generale possa continuare ad alimentare un movimento davvero democratico, a mano a mano che si sviluppa al di là della prima ondata di entusiasmo per la novità. Per quelli che sono stati tanto fortunati da poter essere presenti a Zuccotti Park durante le serate esaltanti degli inizi dell'autunno 2011, l'assemblea generale di Ows è stata un tesoro di ricordi motivanti e indimenticabili, e un'indicazione di un modo nuovo di fare politica.

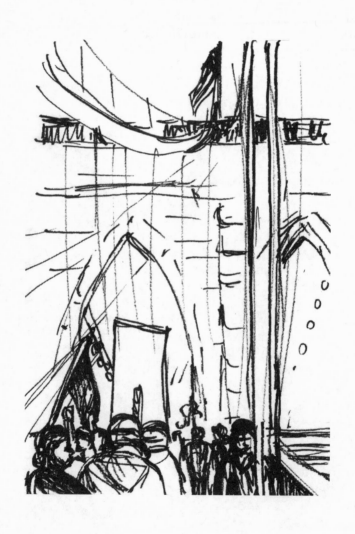

Il Ponte di Brooklyn

> Ragazzi, voglio che lo sappiate... So perfettamente da dove venite. La mia famiglia è stata fregata dai pignoramenti e da prestiti da ladri e dalle storture delle banche... ma non posso stare con voi per colpa di questo distintivo.
>
> *Un poliziotto che arrestava i manifestanti sul Ponte di Brooklyn*

Il 1° ottobre 2011 più di mille persone si sono ritrovate a Zuccotti Park per protestare per l'incidente verificatosi una settimana prima, quando, durante una manifestazione vicino a Union Square, il viceispettore Anthony Bologna della polizia di New York aveva usato lo spray al peperoncino contro tre ragazze, benché fossero già state bloccate dalle reti arancioni. L'attacco è stato videoregistrato ed è circolato su YouTube, suscitando indignazione fra gli abitanti di New York e galvanizzando i sostenitori di Ows in tutto il paese. In risposta è stata organizzata una manifestazione che doveva raggiungere uno dei punti più rappresentativi della città: il ponte di Brooklyn.

Intorno alle 15, quel sabato, dietro uno striscione che diceva "We The People", il corteo è partito da Zuccotti Park e si è mosso verso nord sulla Broadway, allungandosi per vari isolati. I manifestanti portavano cartelloni che dicevano "Liberiamoci", "Il futuro non è più quello di una volta", "Corruzione e avidità NON sono americani" e "Sei amato" e cantavano slogan del genere "Come mettiamo fine a questo deficit? Finiamola con la guerra! Tassiamo i ricchi!" o la sua variante beffarda "Iniziamo la guerra! Mangiamo i ricchi!". Dopo una mezz'ora i manifestanti sono arrivati vicino al ponte, dove è cominciata la confusione. Il corteo si è spezzato, all'ingresso del ponte si è formato un collo di bottiglia, qualcuno ha scelto di continuare sui marciapiedi autorizzati, mentre altri sono andati coraggiosamente verso l'ingresso della carreggiata del ponte. Quelli che hanno scelto le corsie delle auto si sono trovati presto davanti a un gruppetto di poliziotti, per lo più in camicia bianca e con un megafono, disposti sul percorso del corteo. Uno degli agenti ha cercato di mandare un avvertimento con il megafono, ma la sua voce è stata sovrastata dagli slogan "Prendiamo il ponte! Prendiamo il ponte!". Cogliendo l'opportunità, quelli nella prima fila del corteo si sono presi a braccetto e, resi fiduciosi dalla massa di persone che cantava dietro di loro, hanno cominciato una lenta, ma decisa avanzata verso la polizia e le corsie del ponte. In pesante inferiorità numerica, gli agenti hanno fatto dietrofront e si sono avviati verso Brooklyn, continuando a gridare nelle loro radio. Mentre il corteo si avviava sulle corsie degli automezzi, vari manifestanti che avevano imboccato i marciapiedi hanno saltato la recinzione per unirsi all'occupazione del ponte.

Mentre i manifestanti invadevano le corsie cantando "Siamo il 99 per cento!", "Le banche si sono tirate indietro! Siamo stati svenduti!" e "Il ponte di chi? Il nostro ponte!", i poliziotti hanno serrato i ranghi e hanno predisposto una barricata utilizzando l'ormai onnipresente rete arancione, innalzata a mezz'altezza per bloccare il corteo. Chi si trovava in testa al corteo si è fermato, ma non poteva vedere chi si trovava più indietro, e ha cominciato a circolare la voce che la polizia aveva circondato completamente i manifestanti. Quelli rimasti sui marciapiedi hanno potuto continuare a muoversi, ma quelli che si erano riversati sulle corsie degli automezzi si sono ritrovati intrappolati nelle reti. Queste reti arancioni, che nelle settimane precedenti erano diventate sinonimo di arresti, hanno colto di sorpresa molti manifestanti, convinti che la protesta pacifica non violasse alcuna legge, che non avevano sentito gli avvertimenti della polizia di non entrare nelle corsie del ponte riservate agli automezzi. "Una delle cose che si sanno sempre è che, se i poliziotti non vogliono che tu vada da qualche parte, non ci vai. Ti bloccano. Non succede," ha detto uno dei responsabili della biblioteca popolare, che è stato arrestato sul ponte ma vuole rimanere anonimo. "Perciò per quello che si poteva capire, sembrava che i poliziotti stessero semplicemente guidando il corteo sul ponte. Siamo andati lì e ci hanno imbottigliati."

Altri, come Mandy, bibliotecaria del movimento venuta con il marito dall'Indiana per la manifestazione, hanno pensato che quelli sulla carreggiata si stessero offrendo volontari all'arresto. "Non ci lasceranno chiudere il Ponte di Brooklyn. Tutti quelli che sono sul ponte sono destinati a finire in prigione," ricorda di aver pensato Mandy. "Abbiamo dato per scontato che tutti quelli che erano sul ponte sapessero che sarebbero finiti in galera; ci siamo stupiti, dopo, quando abbiamo scoperto che qualcuno non se n'era reso conto." Mandy e il marito si erano incamminati sulla carreggiata, ma quando hanno visto che la polizia cominciava a stendere le reti hanno pensato ai due figli piccoli e hanno fatto sfoggio del loro fascino del Midwest. "Siamo andati verso la linea della polizia esibendo un'aria da bianchi altoborghesi e abbiamo detto: 'Scusate, abbiamo bisogno di passare'." Il trucco ha funzionato e sono riusciti a scendere dal ponte. Anche Amy Roberts, una delle fondatrici del gruppo di lavoro sugli archivi di Ows, è riuscita a superare indenne la rete arancione. "Hanno lasciato passare un po' di donne," ci ha detto. Amy ci ha raccontato che un uomo, che sosteneva di far parte dell'Aclu, l'Unione americana per le libertà civili, ha chiesto a lei e ad alcune altre se erano state invitate a disperdersi. Quando hanno risposto di non aver ricevuto nessun ordine del genere, l'uomo ha parlato con la polizia, che le ha lasciate andare. "Era chiaro che non era uno dell'Aclu, ma ero contenta di potermene andare," ha detto Amy. "Ero preoccupata del rischio di perdere il lavoro. Insomma, pensavo, non so se voglio perdere il lavoro solo per questo. Era tutto quello che mi passava per la testa in quel momento."

I circa settecento manifestanti che non potevano passare per turisti e che non sono riusciti a sfuggire in nessun altro modo alla rete arancione, si sono trovati intrappolati sul ponte, tutti con la prospettiva imminente di un arresto certo. Qualcuno, in particolare nelle prime file, ha cercato di resistere, ma è stato subito buttato a terra dagli agenti. "Uno per uno la polizia ferma tutti i manifestanti, e ci rendiamo conto che hanno manette di plastica sufficienti per tutti noi," ricorda uno degli arrestati quel pomeriggio. "Probabilmente ne avevano una per ciascun abitante della città." Quando l'arresto di massa è iniziato, i manifestanti sono stati incolonnati su entrambi i lati della strada, con la faccia rivolta verso il centro. Quelli già ammanettati sottolineavano con urla e fischi ogni nuova detenzione, e molti avanzavano impettiti come se fossero in passerella. Il morale rimaneva alto e molti si sono resi conto che le operazioni stavano bloccando il traffico: occupavano il ponte proprio perché venivano arrestati per quello. Poi sono arrivati i pullman della prigione e i cellulari della polizia, per caricare le centinaia di persone che aspettavano ammanettate.

Uno di quelli in attesa di essere portati via subito dopo le 16 era Keith, ventiquattrenne veterano della marina americana, che portava addosso un cartello con la scritta "Licenzia il tuo capo!". Keith non si era mai considerato un attivista, ma ci ha detto che stava prestando sempre più attenzione agli ultimi avvenimenti e si era sentito attratto da Ows perché era stanco dell'influenza della finanza e delle banche sulla politica. "Se c'è una cosa che la vita militare dovrebbe insegnare, e di fatto insegna, è che nessuno deve tirarsi indietro e tutti devono assumersi la responsabilità delle proprie azioni ed essere leader," ci ha detto Keith, che all'inizio aveva scelto il marciapiede ma poi, guardando quelli sulla carreggiata, è stato contagiato e non ha saputo frenarsi. "Ho incoraggiato le persone con cui stavo camminando a scavalcare il parapetto per scendere sulla carreggiata e prendere il ponte," ricorda. "In quel momento non pensavamo a come venisse preso il ponte. Siamo semplicemente andati avanti fino a che non ci hanno fermato e poi sostanzialmente imbottigliato, e poi tutti sono stati ammanettati." Descrive l'arresto come al contempo "superficiale" e disorientante. "Sono stato molto conciliante, non ho opposto resistenza," dice Keith. "Ma quando il poliziotto mi ha messo le manette, mi sono girato e ho cominciato a parlargli." Il poliziotto non si è fatto impressionare dalla sua condizione di veterano, e Keith è stato fatto salire su un cellulare con altre nove persone. Quando il veicolo si è mosso, c'erano ancora centinaia di persone ammanettate sul ponte, e altri dai marciapiedi cantavano ai poliziotti: "Vergogna! Vergogna! Vergogna!" e "Siete anche voi dei nostri! Combattiamo per le vostre pensioni!".

Del veicolo che li ha trasportati uno degli arrestati ricorda: "Non appena gli agenti hanno chiuso i portelli metallici, ha iniziato a fare incredibilmente caldo". Il sudore ha permesso a dieci o dodici degli arrestati su un veicolo di liberarsi dalle manette di plastica (poi però rimesse prima che i poliziotti cominciassero a protestare) per far bere dell'acqua a quelli che erano rimasti ammanettati. Il veicolo è stato fatto girare per un'ora circa, prima di essere parcheggiato; poi i detenuti sono stati costretti ad attendere per ore in quegli spazi ristretti e roventi. Facevano a turno a sedersi sul pavimento, perché era più fresco, e hanno fatto del loro meglio per razionare l'acqua. "Non è andata poi così male," racconta lo stesso anonimo arrestato. "Una studentessa universitaria, si chiamava Amanda, tira fuori il telefonino e suona il classico *Baby I'm An Anarchist* di Against Me!" Le discussioni si trasformano in socializzazione e chiacchiere su strategie e futuro di Ows. Alcuni rapporti, nati sui cellulari della polizia e nelle celle, sono rimasti vivi quando i manifestanti sono tornati a Zuccotti Park. "È sempre stata una delle cose che mi ha creato dei problemi quando venivo giù prima [dell'arresto]... Mi sembrava un po' di venire e di gironzolare, fare un po' di questo e un po' di quello, ma non avevo la sensazione di conoscere qualcuno davvero," ricorda uno dei bibliotecari del movimento, arrestato sul ponte. "Ma poi, dopo quel giorno era tutto 'Ehi!', 'Sei riuscito a stare fuori dai guai!?' 'Stai attento, eh!'."

Quando i manifestanti sono stati fatti scendere da cellulari e pullman, sono stati fotografati; le loro borse e tutto quello che avevano è stato confiscato. Come ricorda uno degli arrestati: "Le pratiche di arresto sono un lento passaggio da spazio a spazio, e la centrale è piena. Siamo zuppi di sudore e ci godiamo l'aria relativamente respirabile". Un cartello scritto a mano dice agli incaricati di indicare "4.20 p.m." come ora dell'arresto per tutti gli oltre settecento manifestanti. Vengono tutti accusati di condotta contraria all'ordine pubblico e di violazione del codice stradale per ostruzione al traffico, accusa che infastidisce molti, dato che i manifestanti procedevano nella direzione del traffico ed era stata la polizia a fermarli e poi a circondarli, causando l'ostruzione. "A me sembrava proprio un intrappolamento," dice Keith, il veterano della marina.

Il suo gruppo è stato il primo a scendere per le pratiche di arresto a One Police Plaza, a poca distanza dal Ponte di Brooklyn. Mentre aspettavano di essere fatti scendere, un agente è salito sul veicolo. "Ci ha guardati tutti negli occhi," ricorda Keith, "e ci ha detto: 'Sentite, la protesta è finita. La giornata è finita. Avete detto quello che volevate dire. Vi abbiamo sentito'." Il poliziotto si è fermato un attimo, poi ha aggiunto qualcosa che Keith dice non si sarebbe mai aspettato: "Ragazzi, voglio che lo sappiate, so perfettamente da dove venite. La mia famiglia è stata fregata dai pignoramenti e da prestiti da ladri e dalle storture delle banche... ma non posso stare con voi per colpa di questo distintivo. Però dovete sapere che la penso come voi". Facendoli scendere dal veicolo, poi, ha aggiunto: "Perciò non fate stronzate, fate i bravi e fate tutto quello che dovete per andarvene via di qui il più presto possibile e tornare a casa".

Man mano che altri gruppi di manifestanti arrestati sono giunti ai distretti di polizia, si sono levate urla di solidarietà e applausi, mentre i nuovi arrivati venivano ammassati nelle celle di detenzione temporanea. Fra gli ammanettati c'erano studenti, un architetto sui venticinque anni, un allegro studente di Finanza venuto dall'Ontario per vedere New York per la prima volta. A un certo punto, in una delle celle sono rimasti centodiciassette uomini per tre ore, mentre in un'altra c'erano fra le quaranta e le cinquanta donne. Nonostante l'affollamento, però, secondo molti degli arrestati il morale era alto. "Per tutta la notte è stato strano, perché ti verrebbe da pensare che tutti fossero proprio tristi, ma per noi centodiciassette in quella cella, è stata la miglior situazione in cui avremmo potuto trovarci, perché tra noi c'era solidarietà. Quale risposta pensi che potevano dare persone del genere, se non la voglia di tornare e di darsi da fare ancora di più? Se arresti uno di noi, ne spuntano altri due." Altre celle erano più piccole, intorno ai due metri per tre, con un lavandino che non funzionava, una panchina imbottita e una tazza del gabinetto. Ai manifestanti in attesa del loro turno sono stati offerti burro di arachidi o sandwich al formaggio e un cartone di latte a testa. "Da un'altra cella abbiamo sentito delle risate e qualcuno che suggeriva di rifiutare l'1 per cento del latte per solidarietà con il 99 per cento," ricorda uno degli arrestati.

Al pari di molti dei suoi compagni, Keith è stato rilasciato alle 3.30 della notte del 2 ottobre, circa dodici ore dopo l'arresto. Come ci ha raccontato, è andato subito a casa a dormire, ma la prima cosa che ha fatto il mattino dopo è stata tornare a Zuccotti Park: "Sono andato al centro informazioni e ho chiesto: 'Che cosa posso fare?'".

60 Wall Street

Sono uno di quelli che dormono ancora all'aperto nel parco... la notte scorsa eravamo una trentina, e avevamo solo due ombrelli. Se finito qui andate a casa, magari passate dal parco e lasciate il vostro ombrello, così magari riusciamo a non bagnarci troppo stanotte.

Un visitatore a un incontro del gruppo per il libro di Ows al 60 di Wall Street

Se, il 17 settembre, Zuccotti Park era l'indirizzo principale del movimento Occupy Wall Street, la seconda casa del movimento era certo l'atrio di un grattacielo al 60 di Wall Street. L'atrio, tecnicamente uno spazio pubblico di proprietà privata, con un regolamento ben preciso che ne limita l'uso, come Zuccotti Park, è enorme, ben illuminato e visivamente impressionante: il pavimento è di marmo bianco e nero, con panchine in grigio scuro e per tutta la sua lunghezza si alzano colonne rivestite di specchi con la base coperta di pietra simile a granito; alle due estremità ci sono grandi porte di vetro, mentre lungo una terza parete interna si allinea una serie di bar tutti a vetri; incongruamente, questa sorta di rifugio in una delle città più urbane della Terra ospita cascate artificiali e alberi di palma. Per gli uomini d'affari di Wall Street questo spazio era una specie di riserva, un luogo in cui pranzare lontano dalla frenesia della sala contrattazioni, mentre per altri, all'estremo opposto della scala socioeconomica d'America, i senzatetto, era un luogo dove potersi sedere e magari giocare a scacchi, per lo meno nelle ore di apertura, dalle 7 del mattino alle 10 di sera.

Da poco dopo il 17 settembre, quell'atrio è diventato anche un luogo in cui i sostenitori di Ows possono riposare e socializzare e, soprattutto, è diventato il luogo di incontro regolare per diversi fra i gruppi di lavoro più visibili e importanti del movimento. C'è voluto un po' di tempo perché acquisisse questo ruolo: "Quando sono andata per la prima volta al 60 di Wall Street," ricorda Imani J. Brown, parlando del suo gruppo di lavoro su arte e cultura, "erano pochissime le persone che si incontravano lì". Ma poco più di un mese dopo, aggiunge, centinaia di persone lo utilizzavano "tutto il giorno, ogni giorno". Di pomeriggio e di sera vi si svolge una serie continua di riunioni dei gruppi di lavoro: oltre a quello per l'arte e la cultura, fra le 14 e le 20 circa, vi si riuniscono quelli per l'azione diretta, dei facilitatori e quelli della struttura, della solidarietà ambientalista, di Ows en español (il collegamento con i movimenti di lingua spagnola) e, forse il più importante di tutti, quello della finanza. Entrando nell'atrio o da Wall Street a sud o da Pine Street a nord, il suono che colpisce le orecchie è particolare: è il basso e costante brusio delle voci umane, un ronzio costante, inframmezzato ogni tanto da strane esclamazioni; è il suono di un'attività concertata, entusiasta e cooperativa.

La sensazione che si prova al 60 di Wall Street riflette questo dinamismo. Entrare nell'atrio attraverso le porte girevoli di uno dei due ingressi significa passare accanto al flusso costante delle persone che entrano ed escono, talvolta alla spicciolata, in altri momenti come una vera fiumana. Significa passare oltre un piccolo distaccamento di sicurezza che, da quando Ows ha iniziato a utilizzare questo atrio, è costituito da poliziotti in uniforme oltre che da personale della proprietà, tipi di corporatura robusta che indossano scarponi da combattimento e inconfondibili tute militari blu (le Bdu, *battle dress uniform*, uniformi da battaglia) con gli immancabili berretti in stile esercito. Pattugliano avanti e indietro l'atrio o stanno fermi in silenzio accanto agli ingressi e ricordano costantemente che al 60 di Wall Street, come a Liberty Plaza, le cose non vanno come al solito.

All'interno dell'atrio, persone, gruppi ed eventi sono in movimento costante. L'unica struttura per gli incontri che si svolgono fra le grandi colonne è quella che si sono dati gli stessi gruppi di lavoro: per definire un'area in cui riunirsi basta semplicemente (si fa per dire, visto il flusso continuo di persone che passano) appropriarsi di uno dei molti tavoli rotondi di metallo da giardino che arredano l'atrio, oppure trovare un numero di sedie sufficiente e mettersi in circolo. Nel corso di una giornata, e nonostante i cartelli ufficiali che invitano gli ospiti a rimettere a posto le sedie quando le spostano, questo processo di appropriazione e riappropriazione degli arredi lascia l'atrio disordinato, con le sedie disperse in giro e a una certa distanza dai tavoli. Non esiste una segnaletica ufficiale per gli incontri: una riunione del gruppo per la finanza può essere indicata da una grossa scritta su un foglio di cartone, ma non necessariamente; un'indicazione può essere una semplice parola scarabocchiata su un foglio sciolto strappato da un blocco per appunti, ma può darsi anche che la riunione di un gruppo non sia segnalata da alcunché.

Anche le riunioni sono piuttosto fluide e imprevedibili. Ogni tanto dagli altoparlanti rimbombano gli annunci di una esercitazione antincendio e di test delle apparecchiature: succede abbastanza spesso ma sempre quando gli occupanti meno se lo aspettano. Quando si sente uno di questi annunci, tutte le riunioni in corso si bloccano, spesso proprio nel bel mezzo di una discussione, e gli occupanti sono costretti a trattenere i pensieri fino a che, dopo un minuto o due, l'annuncio disturbatore si conclude. Ma se una cosa si può dire di Ows è che ha imparato ad adattarsi a tutto; quando c'è un'interruzione dovuta agli interventi delle autorità, di solito c'è una pausa, quelli che devono intervenire si concentrano, e poi il brusio dei lavori degli occupanti ricomincia.

La partecipazione alle riunioni dei gruppi di lavoro è altrettanto imprevedibile e fluida. Mentre i gruppi discutono intorno ai tavoli e sulle sedie messe in circolo, altri occupanti si muovono intorno, passando da un gruppo di lavoro all'altro, individualmente o a gruppetti. Qualche volta non riescono a orientarsi: "È questo il gruppo dei media?" chiede uno, o "Questo è il gruppo del comfort?" o "Questo è il gruppo della poesia?". I cartelli non aiutano: anche quando un gruppo ne ha uno, o è ambiguo o semplicemente nessuno lo vede. "Sapete dove si riunisce il gruppo del comfort?" è magari la domanda successiva. Spesso però il visitatore non si è perso, ma è venuto per fare un annuncio, di solito legato in qualche modo alle attività dell'assemblea generale: "Scusate l'interruzione, ma il tempo fuori è proprio brutto, perciò l'assemblea generale si svolgerà qui fra un quarto d'ora circa". Un altro arriva con una richiesta: "Sono uno di quelli che dormono ancora all'aperto nel parco... la notte scorsa eravamo una trentina, e avevamo solo due ombrelli. Se finito qui andate a casa, magari passate dal parco e lasciate il vostro ombrello, così forse riusciamo a non bagnarci troppo stanotte". Nella maggior parte dei casi, però, questi partecipanti itineranti non si sono persi né arrivano con un compito preciso, bensì sono impegnati in una forma di partecipazione informale e simultanea ai lavori di più gruppi. Uno di questi nuovi arrivati magari si ferma subito all'esterno del circolo di sedie, si appoggia a una colonna ai margini della riunione oppure cammina intorno, per sentire meglio le diverse opinioni formulate. Partecipa attivamente, con cenni di approvazione o disapprovazione a qualche idea particolare e, quando ha l'impressione di avere ascoltato abbastanza e di avere afferrato il tema della discussione, spesso interviene con le sue reazioni e i suoi suggerimenti. Coerentemente con lo spirito di trasparenza e apertura che è centrale per il movimento Ows, questi nuovi contributi ai gruppi di lavoro, per quanto casuali e di solito estemporanei, vengono accolti in genere a braccia aperte e con spirito di cooperazione. In effetti, questo bacino itinerante di idee aggiuntive non rappresenta solo una delle caratteristiche che rendono unica l'esperienza di trovarsi al 60 di Wall Street, ma anche un'apprezzata fonte di capitale intellettuale per i gruppi di lavoro che si riuniscono lì.

Anche se del tutto speciale, l'esperienza delle riunioni al 60 di Wall Street non è estranea a chi abbia seguito un'assemblea generale o che abbia anche solo un minimo di familiarità con le complessità del processo decisionale orientato al consenso che caratterizza tutti i lavori di Ows. Per gli incontri dei gruppi esistono facilitatori come per l'assemblea generale, e la loro responsabilità, come a Zuccotti Park, è fare in modo che i lavori procedano senza intoppi e che tutti i partecipanti abbiano la possibilità di far sentire la loro voce. Gli ordini del giorno e le "pile" danno ordine alla discussione e i mezzi, ormai ben noti, per segnalare il consenso, che si vedono spesso a Zuccotti Park, come l'"ondeggiamento" delle dita distese verso l'alto, verso il basso o orizzontalmente per indicare approvazione, disapprovazione o una posizione intermedia, si possono vedere all'opera anche qui, specialmente considerato che talvolta in questo spazio i gruppi di lavoro prendono decisioni significative. Il gruppo di lavoro sulla struttura, che ha prodotto quell'innovazione fortemente controversa che era il consiglio dei portavoce, tiene i suoi incontri nell'atrio ogni giorno alle 18.

L'importanza di queste riunioni dei gruppi di lavoro e dello spazio in cui avvengono è enorme per Ows, in particolare in seguito al parziale sgombero del movimento da Zuccotti Park il 15 novembre. Di colpo, il 60 di Wall Street è diventato il quartier generale della controffensiva organizzativa del movimento: una volta depositatosi il polverone del raid della polizia di New York, il nuovo gruppo di lavoro sugli alloggi, cui è stato affidato l'arduo compito di trovare uno spazio per gli occupanti che non possono più tenere il loro campo a Zuccotti Park, ha cominciato a incontrarsi due volte al giorno. Con l'avvicinarsi dell'inverno, il 60 di Wall Street è diventato anche un luogo in cui i gruppi che normalmente non si riuniscono qui, assemblea generale inclusa, possono incontrarsi, al chiuso, quando incombe la minaccia di un tempo inclemente.

Alla fine, l'atrio non è soltanto una sede per i lavori ufficiali. Mentre l'autunno volgeva al termine e il freddo cominciava a scendere su New York, tutti gli occupanti lo hanno scelto come posto caldo in cui rifugiarsi, in particolare dopo che lo sgombero di novembre aveva tolto ogni possibilità di avere il riparo di una tenda, di un sacco a pelo o anche semplicemente di un telone a Zuccotti Park. Quando Ows ci si è trasferito, il 60 di Wall Street non ha perso la sua natura: si possono ancora vedere spesso uomini d'affari che vengono a pranzo, o che semplicemente attraversano quello spazio e i senzatetto (e le loro partite a scacchi) restano comunque una presenza costante. Il risultato, sembra appropriato, sono uno spazio e un'atmosfera molto simili a quelli che si respiravano a Zuccotti Park e che si percepiscono in tutto il movimento. Gli occupanti sono seduti, impegnati in complicate discussioni sulla teoria economica o su questioni più pratiche e immediate, come il luogo in cui dormiranno quella notte, accanto a senzatetto che si sfidano su una scacchiera di panno a buon mercato, a qualche metro di distanza da un occupante arrivato da fuori città, assopito vicino allo zaino da campeggio in cui trasporta tutto il suo mondo, a sua volta non molto lontano da un agente di Wall Street in giacca e cravatta, magari uno dei cosiddetti "uno per cento", che pranza seduto tranquillamente. Nel corso dei suoi primi due mesi di vita, Occupy Wall Street non si è limitato a parlare della società, ma ha vissuto al suo interno.

Studenti e sindacati

Primavera araba, estate europea, autunno americano...

Striscione degli studenti della New School al corteo di Foley Square

A metà pomeriggio del 5 ottobre, mentre migliaia di persone si avviavano verso Foley Square per la manifestazione "comunità e sindacati" di solidarietà con Occupy Wall Street, una decina o poco più di studenti laureati della New York University (Nyu) si erano radunati sul lato settentrionale della fontana nel parco di Washington Square. Le ombre si allungavano mentre alcuni scrivevano su cartelloni slogan come "9 PhD su 10 concordano: MARX AVEVA RAGIONE!". Altri erano appoggiati al bordo della fontana, bevevano caffè e si chiedevano se qualcuno avrebbe raccolto il loro invito al corteo, se il contingente della vicina New School for Social Research sarebbe sceso in strada. Alle 16, la squadra era affollata da centinaia fra studenti, professori e membri della comunità, e il contingente della New School si faceva ancora attendere.

Gli organizzatori della Nyu avevano previsto un numero relativamente basso di studenti, che avrebbe dovuto dirigersi lungo i marciapiedi fino a riunirsi in centro con i gruppi della comunità e i membri dei sindacati. "Era stato quel piccolo nugolo di studenti laureati ad aver organizzato la cosa. In coscienza non ci sentivamo di incoraggiare gli iscritti ai primi anni dell'università a fare qualcosa di illegale, per cui avrebbero anche potuto essere arrestati," ricorda Christy Thorton, studentessa laureata in Storia della Nyu, una delle organizzatrici della manifestazione. "Era subito dopo gli arresti al Ponte di Brooklyn." Quando Washington Square era ormai piena di gente, dalla parte nord del parco è arrivato un gran clamore: gli studenti della New School avevano preso la Fifth Avenue. Quando erano ormai vicini all'arco, il simbolo della piazza, la folla ha urlato la sua approvazione. Daniel Aldana Cohem, dottorando in Sociologia alla Nyu, uno degli organizzatori del corteo, ricorda: "Quando gli studenti della New School sono arrivati giù per la Fifth Avenue, praticamente in mezzo alla strada, ci siamo detti: fantastico!". Resi baldanzosi, gli studenti si sono dati un nuovo obiettivo: occupare le strade.

Quando il corteo si è mosso, centinaia di persone si sono riversate dall'angolo sud-est di Washington Square: innalzando cartelli con scritte come "Debito studentesco = schiavitù per contratto", "La chiamano lotta di classe solo quando ci ribelliamo!", "Perché ci sono così tanti senza lavoro... quando c'è così tanto lavoro da fare?" e "Rivogliamo il nostro futuro", i manifestanti si sono incamminati lungo i marciapiedi di Fourth Street, intonando "Noi! Siamo! Il 99 per cento!". Sciamando attorno ai baracchini degli alimentari, hanno superato la piazza vicino alla Stern School of Business della Nyu, sotto gli occhi allegramente scettici di parecchi studenti, alcuni in giacca e cravatta. Inizialmente il corteo è rimasto sul marciapiede, e solo pochi sono scesi in strada in mezzo al traffico, ma, una volta raggiunta Mercer Street, gli studenti hanno invaso Fourth Street. Hanno superato Broadway e poi piegato a destra lungo la Lafayette. Gli organizzatori avevano scelto la Lafayette perché aveva i marciapiedi più liberi rispetto a Broadway, che sarebbe stata un obiettivo più simbolico. "È stata una parte importante della strategia, perché la polizia non ne aveva idea," ricorda Christy. "Non capivano, quando abbiamo superato Broadway, sono rimasti lì a chiedersi: dove vanno questi?".

Intasando due isolati della Lafayette, i manifestanti diretti verso il centro hanno bloccato il traffico. Intonavano periodicamente: "Tutto il giorno! Tutta la settimana! Occupiamo Wall Street!" e "Uno, due, tre, quattro, Wall Street fottiti!", alcuni battendo il ritmo su pentole e coperchi, mentre altri si davano da fare per documentare il corteo con le loro macchine fotografiche e le videocamere. Molti si sono limitati a guardare dalle finestre dei palazzi affacciati sulla strada, molti altri invece sono usciti dai negozi per applaudire i manifestanti, e qualcuno si è anche unito per solidarietà. Quando il corteo era ormai vicino a Worth Street, subito a nord di Foley Square, alcuni dei manifestanti della New School che erano in testa hanno srotolato un lungo striscione di carta con la scritta: "Primavera araba, estate europea, autunno americano...". Preceduti da questo messaggio, i manifestanti partiti da Washington Square sono arrivati a Foley Square cantando: "Studenti! E lavoratori! Chiudete la città!", salutati con urla e applausi da migliaia di lavoratori e membri della comunità che si erano già radunati per il successivo corteo verso Zuccotti Park.

Il 5 ottobre, la confluenza in massa a Foley Square di studenti e lavoratori, insieme con l'arresto avvenuto il 1° ottobre di oltre settecento manifestanti di Ows sul Ponte di Brooklyn, ha avuto un ruolo cruciale nel rafforzare la consapevolezza pubblica del movimento Occupy. L'evento mette in luce anche come Ows abbia favorito le interconnessioni e la creazione di coalizioni. In effetti, la solidarietà fra i movimenti degli studenti e dei lavoratori, resa possibile da Ows, non era affatto scontata. Negli ultimi anni i conflitti di motivazioni, esigenze e obiettivi avevano favorito le divisioni, non solo fra lavoratori e studenti, ma anche fra gli iscritti alle università pubbliche e quelli delle università private e fra i lavoratori di sindacati diversi. Con i suoi obiettivi un po' amorfi, ma con una forte opposizione ai tagli di bilancio e all'appropriazione dei servizi pubblici da parte delle grandi aziende, il movimento Ows offriva un ombrello abbastanza ampio sotto cui mobilitare verso una causa comune gruppi con priorità evidentemente differenti. La storia di come sono nati la manifestazione e il corteo del 5 ottobre, e gli eventi che poi ha messo in moto, evidenziano la forza di Ows come motore di solidarietà.

A maggio 2011, un gruppo di venticinque-trenta studenti dei plessi universitari della City University e della State University di New York si è riunito in una sede vicino al lago subito fuori Albany. All'origine della mobilitazione c'erano le prospettive a livello statale di tagli al budget per l'istruzione superiore e gli aumenti delle tasse universitarie. Dalla riunione è nata una coalizione, con il nome di New York Students Rising (Nysr): inizialmente ne facevano parte una dozzina di campus, che a fine ottobre erano diventati circa trenta, in tutto lo stato di New York. Il 12 agosto, Nysr aveva fissato la data del 5 ottobre per una manifestazione generale in tutto il sistema universitario dello stato, con vari teach-in, "in risposta ai tagli al budget, all'aumento delle tasse, alla mancanza di responsabilità amministrative, al deterioramento della governance condivisa e alla preoccupante minaccia della privatizzazione". La convocazione della manifestazione è avvenuta dieci giorni dopo la prima assemblea generale di Ows a Bowling Green. Secondo Colin, uno dei facilitatori della prima riunione di Nysr, alcuni membri del nascente movimento studentesco avevano preso parte a quelle prime sedute di pianificazione di Ows e avevano avvisato la coalizione che si stava preparando un'azione a Wall Street per settembre, ma con tutta probabilità le possibili iniziative di Ows non hanno influito sulla decisione: "Onestamente in quel momento sembrava improbabile che [l'occupazione] potesse durare tre settimane," dice Colin. "Il modello precedente per questo tipo di azione era Bloombergville, e non era durata tre settimane."

Quando l'occupazione di Zuccotti Park stava ormai entrando nella terza settimana, Ows cresceva, collaborando sempre di più con il nascente movimento studentesco e godendo di un sostegno sempre più ampio da parte delle organizzazioni sindacali. Il 29 settembre, meno di due settimane dopo l'inizio dell'occupazione, una coalizione di gruppi della comunità e sindacali (fra cui United NY, Strong Economy for All Coalition, Working Families Party, United Federation of Teachers, Workers United, Seiu 1199, e la sezione 100 del sindacato dei lavoratori dei trasporti) ha annunciato una manifestazione di "comunità e sindacati" a sostegno di Ows per la settimana successiva, lo stesso mercoledì della manifestazione indetta dagli studenti di Nysr. Il 2 ottobre, a sua volta, Nysr aveva dato l'appoggio alla manifestazione di "comunità e sindacati" ed è stato fissato il 5 ottobre come giorno di intervento congiunto di studenti e lavoratori per solidarietà con gli occupanti. Il primo numero di "The Occupied Wall Street Journal", pubblicato il 1° ottobre, annunciava quella unità: la prima pagina presentava una foto di grande formato con una donna dai capelli rosa e un tamburello in mano e titolava "NEW YORK SI UNISCE! MERCOLEDÌ 5 OTTOBRE MANIFESTAZIONI STUDENTESCHE CORTEI SINDACALI OCCUPYWALLST.ORG NYSTUDENTSRISING.ORG".

Studenti e lavoratori non si sono limitati a dare il loro sostegno al movimento Ows: l'occupazione di Liberty Plaza è stata un catalizzatore vitale per creare mobilitazione attorno alle cause diverse di studenti e lavoratori. Per esempio, prima dell'occupazione e della convocazione del 5 ottobre, il movimento studentesco a New York era rimasto prevalentemente confinato nelle sue istituzioni pubbliche, i cui studenti erano direttamente colpiti dalle misure di austerità dello stato e della città. Quando però l'azione a Zuccotti Park si è sviluppata e si è creata l'interazione fra un'ampia serie di attivisti, l'occupazione ha favorito l'unione degli studenti delle università pubbliche e di quelle private, e la formazione di un movimento studentesco più ampio. Josh Frens-String, dottorando del dipartimento di Storia alla New York University, ha detto di aver scoperto l'esistenza di Nysr grazie a un volantino distribuito a Zuccotti Park. Josh, come molti altri attivisti studenti laureati della Nyu, faceva parte del comitato organizzativo dei dottorandi (Gsoc) e il suo attivismo si era concentrato soprattutto sul sostegno per un previsto voto di certificazione sindacale. Ma quando ha scoperto l'esistenza di Nysr ha cominciato a pensare a creare solidarietà fra pubblico e privato alla Nyu. "Tutto quello che è successo in realtà è stato che ho pubblicato qualcosa su Facebook, dicendo 'Qualcuno sa se sta succedendo qualcosa?', e Dan [DiMaggio] stava organizzando una manifestazione della Nyu coordinandosi con gli studenti della City University," dice Josh. "Così ho fatto il mio primo gruppo Facebook per questa cosa."

La notizia della marcia di solidarietà del 5 ottobre si è diffusa rapidamente nei dipartimenti di Storia, Sociologia e Analisi sociale e culturale, collegati fra loro grazie a una squadra di calcio interna che prende il nome di "Historiology" e dal comitato organizzativo dei dottorandi, un sindacato della Nyu affiliato al sindacato dei lavoratori dell'industria automobilistica. Il comitato ha diffuso la notizia del corteo di Washington Square tramite il suo database telefonico a sostegno della manifestazione "comunità e sindacati". Altri sindacati universitari dell'area metropolitana di New York (come il Congresso dello staff professionale della City University) hanno intrapreso iniziative analoghe. L'invito ha raggiunto anche la lista di Faculty Democracy, una lista di docenti attivisti della Nyu. Nonostante la circolazione di informazioni, su Facebook il numero dei "partecipanti" al corteo rimaneva intorno ai trecento, ma quando la pagina Facebook ufficiale di Occupy Wall Street ha promosso l'evento, un paio di giorni prima della data prevista, il numero dei partecipanti è schizzato a quasi settecento. Ciononostante, gli organizzatori della marcia di solidarietà avevano ancora aspettative modeste: "Pensavamo che avremmo raccolto una cinquantina di iscritti al comitato dei dottorandi e che saremmo andati giù insieme," ricorda Christy Thorton. "Ma quello che poi è successo è stato un corteo gigantesco e abbiamo riempito le strade." La manifestazione, inoltre, ha fatto sì che si coagulasse un gruppo ampio di studenti laureati e non laureati, sotto il nome di Nyu Stand with Occupy Wall Street (Nyu4Ows per brevità), un'organizzazione che, oltre a realizzare teach-in e una periodica "università popolare" al parco di Washington Square, ha mobilitato campagne di solidarietà fra gli studenti dell'università pubblica di New York e i lavoratori locali. Il corteo del 5 ottobre, più in generale, ha prodotto un gruppo, l'assemblea di tutti gli studenti di New York, che ha favorito i collegamenti fra gli attivisti delle diverse università e ha contribuito a coordinare azioni studentesche con una base estesa, non solo di opposizione ai tagli dei fondi per l'istruzione superiore e gli aumenti delle tasse universitarie, ma anche di solidarietà ai lavoratori locali, in particolare a quelli di Sotheby's, la sezione 814 dei Teamsters. Questi appartenenti al sindacato erano stati lasciati senza lavoro perché si erano rifiutati di firmare un nuovo contratto "di austerità" con un taglio degli stipendi del 10 per cento e una clausola che garantiva ai proprietari della casa d'aste la libertà totale di assumere dipendenti non iscritti ai sindacati, cosa che avrebbe di fatto distrutto il sindacato stesso.

Uniti, studenti e sindacalisti associati a Occupy Wall Street si sono infiltrati nelle sedute d'asta, interrompendo la vendita di mobili e dipinti da milioni di dollari. "Sotheby's ha avuto profitti record per 680 milioni di dollari," ha annunciato uno degli infiltrati di Ows durante un'asta, "e ha buttato sulla strada i suoi dipendenti!" Dieci minuti dopo, quando nella sala era stato ristabilito l'ordine, un secondo manifestante si è alzato gridando: "L'amministratore delegato di Sotheby's guadagna 60.000 dollari al giorno!" e le interruzioni sono andate avanti, finché molti sono stati fatti uscire a forza dalla sala. Gli interventi sono continuati, e alla fine la casa d'aste ha deciso di chiedere una cauzione di cinquemila dollari solo per consentire l'ingresso in sala. I manifestanti hanno guastato anche il pranzo nei costosi ristoranti di proprietà di Danny Meyers, membro del Board of Trustees di Sotheby's, informando i clienti che il ristorante sosteneva i licenziamenti. La lunga serie di azioni a sostegno dei lavoratori, che ha portato fra l'altro a vari arresti per aver bloccato l'ingresso alla casa d'aste, è culminata il 9 novembre, quando duecento persone, fra cui studenti dell'Hunter College e membri di almeno dieci sindacati diversi, hanno formato un cordone di dimostranti davanti a Sotheby's.

In effetti, Ows e il vivace movimento studentesco che ha favorito hanno fornito al movimento dei lavoratori un'ottima occasione per organizzare, con una base più ampia, un contrattacco alle strategie sempre più dure della proprietà al tavolo delle trattative, e contro le nuove minacce alla contrattazione collettiva nei corpi legislativi di tutti gli stati. Maida Rosenstein, presidente della sezione 2110 del sindacato United dei lavoratori dell'auto (Uaw), ha detto: "Noi dello Uaw ci chiedevamo: come mobilitare le persone e i nostri membri non solo per via elettronica? Come si fa a mobilitare le persone perché escano, protestino, manifestino e dimostrino?". Le proteste suscitate dagli attacchi di Scott Walker, governatore del Wisconsin, ai diritti di contrattazione collettiva nel febbraio 2011, in cui studenti e lavoratori dei sindacati hanno occupato il Campidoglio di stato di Madison prima di erigere una tendopoli, sono state un precedente importante: non sono riuscite a impedire l'approvazione della legge di Walker contro i sindacati, ma sono servite a radicalizzare il movimento dei lavoratori in tutta la nazione, e hanno fatto sì che i leader sindacali fossero più sensibili a riconoscere i vantaggi potenziali di un'alleanza con Occupy Wall Street. "Per noi è un sogno che si realizza, avere questi giovani che parlano di quello che sta succedendo ai lavoratori," ha detto George Gresham, presidente della sezione 1199 della Seiu, un sindacato a cui sono iscritti trecentomila addetti del settore sanitario.

I sindacalisti sono stati attivi in Ows sin dall'inizio: hanno partecipato alla prima assemblea generale del 2 agosto e sono entrati nel gruppo di lavoro sul sindacato la prima settimana dell'occupazione di Zuccotti Park. Il gruppo, di cui fanno parte oltre cento membri in rappresentanza di oltre quaranta sindacati, si è dato un doppio obiettivo: sostenere le lotte sindacali e cercare il sostegno dei sindacati per il movimento Occupy. Al momento della manifestazione del 5 ottobre, era riuscito a garantirsi l'appoggio del consiglio esecutivo dell'Afl-Cio, la più grande fra le confederazioni sindacali degli Stati Uniti. "Sono rimasta sorpresa dall'entusiasmo con cui hanno risposto i sindacati," ha detto Jackie DiSalvo, una delle fondatrici del gruppo di lavoro. "Da decenni non si vedeva un'alleanza di questo genere negli Stati Uniti, e questo distingue Ows dai movimenti degli anni sessanta, quando i sindacati erano più conservatori, e la cultura giovanile tendeva ad avversarli. I sindacati sono stati messi sotto attacco dall'1 per cento, e sono alla ricerca di nuove strategie e nuove alleanze."

Nell'autunno del 2011 la sezione 100 della Transit Workers Union era impegnata in complessi negoziati per i rinnovi contrattuali e, attraverso il gruppo di lavoro dell'Ows è riuscita a organizzare un tavolo a Liberty Plaza. Ornato con festoni di caschi di protezione lasciati dagli operai al lavoro nel vicino cantiere della Freedom Tower, quel tavolo ha svolto la funzione di luogo in cui i lavoratori potevano condividere la loro storia con i visitatori, ma anche capire meglio il movimento e inserirsi al suo interno. L'occupazione ha anche favorito i collegamenti fra i diversi sindacati. Membri della sezione 802 dei Teamsters hanno potuto conoscere membri della sezione 814 attraverso il gruppo di lavoro, e le due sezioni hanno rapidamente deciso di sostenersi a vicenda nelle rispettive lotte contro il management. Julian Tysh, organizzatore della sezione 814, ha attribuito al movimento Ows il merito di aver incoraggiato i lavoratori in sciopero, universalizzando le loro lotte e indirizzandole verso un nemico comune, l'1 per cento. "Il movimento Occupy ha cambiato i sindacati," dice Stuart Appelbaum, presidente della Rwdsu, la rappresentanza dei commercianti al dettaglio, dei grossisti e dei grandi magazzini. "Sono di più ora i sindacati che vogliono essere aggressivi nella loro comunicazione e nella loro attività." In effetti, in risposta a Occupy Wall Street, molti hanno rapidamente mutuato lo slogan "99 per cento", riportandolo sulle spille e sui cartelli per il corteo del 5 ottobre.

Alle 17.30 del 5 ottobre, Foley Square era piena di migliaia di persone tra studenti e lavoratori che ridevano, cantavano ed erano felici della forza che derivava loro dal numero. Al tramonto hanno pian piano cominciato a staccarsi dalla piazza e hanno proceduto attraverso Centre Street verso sud, verso Liberty Plaza e il luogo dell'occupazione che era stata l'occasione della loro unità. La polizia non aveva ostacolato il corteo iniziale, che si era esteso per due isolati lungo la Lafayette, riempiendola, ma, una volta entrati nella piazza e poi nella marcia verso Zuccotti Park, ha regolato rigidamente i movimenti dei manifestanti. Il contrasto non avrebbe potuto essere più marcato. Scendendo verso Foley Square, il corteo aveva mostrato quella illimitata libertà di parola e di adunata che aveva fatto del movimento Occupy una tale ventata di aria fresca. Ma nel procedere verso Zuccotti Park le transenne della polizia lo hanno chiuso sul marciapiede e su una corsia di Broadway, mentre il resto della grande via era occupato da agenti in tenuta antisommossa. Lo spettro delle forze armate (e del loro intervento) aleggiava sulla manifestazione. "Quello che abbiamo fatto andando a Foley Square era un esempio dell'esatto contrario," ha detto Josh Frens-String, ricordando il contrasto fra i due cortei. "Avevamo preso le strade. Era un esempio di ciò che è possibile. Era quello che avrebbe dovuto essere anche il corteo da Foley Square – avrebbe dovuto essere come il nostro corteo, ma non è andata così. Mettendo a confronto quei due cortei – penso che si veda bene a che punto è il movimento e dove sta cercando di andare, e quanto ancora resta da fare."

La vita in piazza

> Ho detto, sono una bibliotecaria. So organizzare i libri. Di questi tempi, organizzare libri è un atto rivoluzionario.
>
> *Betsy Fagin, volontaria alla biblioteca popolare di Zuccotti Park*

I quartieri di Zuccotti Park

Occupy Wall Street si è conquistata la fama, sulla stampa, di non avere un messaggio unico o un unico insieme di richieste, e di avere invece abbracciato la varietà di opinioni difese dai suoi molti, diversi sostenitori. C'erano atteggiamenti fra loro incoerenti: accanto ai nemici giurati della Federal Reserve, che sostengono Ron Paul, e che erano ben visibili con i loro cartelli "End the Fed", "Chiudiamo la Fed", sul lato di Liberty Plaza che dà su Broadway, c'erano altri per i quali invece la Federal Reserve deve essere certo riformata, ma non va abolita. Zuccotti Park ospita sia chi propone riforme specifiche come la reintroduzione del Glass-Steagall Act, sia rivoluzionari che vogliono l'abbattimento totale del capitalismo, o un'anarchica abolizione di ogni gerarchia nel governo e nella società americana.

Con la progressiva evoluzione dell'occupazione a Liberty Plaza queste differenze (diventate alla fine delle divisioni) hanno avuto una loro identificazione anche nella topografia della piazza e nell'esperienza vissuta da quanti dormivano nel parco, in particolare dopo che avevano cominciato a spuntare le tende verso la fine di ottobre e agli inizi di novembre. Anche se le divisioni non erano nettissime, la piazza ha cominciato a dividersi geograficamente e si sono venute a creare due zone distinte: orientale e occidentale.

Per molti aspetti, il parco era un tutto coeso: nonostante la varietà degli obiettivi ultimi dei diversi sostenitori di Ows, ogni persona coinvolta nell'azione concordava sulla necessità di un cambiamento. In termini di condizioni di vita, con il progressivo aumentare del numero delle persone che rimanevano tutta la notte, la piazza ha finito per diventare affollata e lo spazio ha cominciato a scarseggiare.

Si notava però che, con il procedere dell'occupazione, le estremità orientale e occidentale della piazza andavano assumendo un aspetto sempre più differente l'una dall'altra. Rispetto all'estremità orientale, dove si trova la grande statua rossa, quella occidentale risultava più organizzata: le tende da quella parte in genere erano più grandi, offrivano alloggio a gruppi di dimensioni considerevoli, ed erano disposte a distanza ravvicinata in modo che, a partire dai lati della cucina, rimanessero due passaggi liberi fino ai bordi del parco.

Rispetto alle grandi tende dell'estremità occidentale, gran parte della metà orientale del parco era un groviglio impercorribile di piccole tende singole. Anche lì c'erano due passaggi paralleli sui lati, ma in parecchi punti erano notevolmente più stretti e andavano molto più a zig-zag di quelli dalla parte occidentale. Nonostante questo aspetto di caos addensato, nella zona orientale del parco si trovava la maggior parte delle più importanti attività organizzate, fra cui lo spazio media, il centro per la diretta video e la biblioteca popolare, tutte attività ospitate in grandi tende ben indicate.

Per entrare nel parco non c'erano difficoltà dall'estremità orientale, dove ampi scalini scendevano dai marciapiedi di Broadway verso vari punti di ingresso. Gli scalini passavano intorno alla statua rossa, all'angolo sud-est, dove si trovava il "palco popolare" e lungo il lato meridionale della piazza; anche da lì si poteva entrare senza ostacoli, salvo l'occasionale manifestante seduto sui gradini o che dimostrava davanti alla scalinata.

Non era altrettanto facile accedere dall'estremità occidentale: in gran parte era transennata dalla polizia e molti manifestanti stavano seduti sui gradini che salivano al parco, che in quel punto è più in alto rispetto al livello della strada, e questo ostacola l'ingresso. Nell'angolo sud-ovest una serie di tende bloccava un breve sentiero, creando una via senza uscita e impedendo l'accesso a uno dei passaggi principali.

Di conseguenza, l'unica via di accesso da quel lato del parco passava per l'angolo nord-ovest, dove il visitatore era accolto da un'immagine di forte contrasto, di un genere del tutto peculiare a Occupy Wall Street: proprio di fronte allo spazio per la meditazione, una pedana intorno a un albero, ornata di bruciaincenso e di varie, non meglio identificate, icone e altre decorazioni spirituali, incombeva il traliccio di una torre d'osservazione mobile della polizia di New York, sinistro, costante sguardo da Panopticon sulla vista sottostante.

L'accesso era solo la prima delle differenze fra le due sezioni del parco. Anche se le distinzioni non erano solide e concrete, anche un visitatore casuale poteva *sentire* le differenze fra la parte orientale e quella occidentale. In generale sembrava che la parte orientale del parco ospitasse i sostenitori del movimento più riformisti e più vicini alla classe media, mentre la parte occidentale ospitava attivisti più vicini alla classe lavoratrice, meno disposti a compromessi politici.

Nella parte orientale del parco si trovavano la biblioteca popolare, il caucus Lbgtq, Información en español e i gruppi di lavoro stampa, relazioni con i media, lo sportello legale e, ovviamente, l'assemblea generale. In parole povere, era dove aveva il quartier generale la maggior parte delle funzioni più importanti del movimento. Nella parte occidentale, invece, erano ospitati gli interventi più apertamente radicali: un tavolo per la riacquisizione di terre per i nativi americani; il "campo lotta di classe", un gruppo di lavoro anarchico e parecchi altri gruppi rivoluzionari; e i famigerati e chiacchierati percussionisti del Pulse, che suonavano da un palcoscenico di fortuna in cima alla scalinata sul lato occidentale.

Non si trattava semplicemente di differenze di sapore ideologico: potevano generare, e infatti hanno generato, un vero senso di reciproca antipatia fra i "residenti" delle due parti del parco. Descrivendo il suo gruppo, Kv, uno degli organizzatori del "campo lotta di classe", dichiarava: "Questa parte del campo non è per le riforme. Questa parte è per la rivoluzione, sapete? Non siamo... non abbiamo niente da perdere. Non siamo ragazzini liberal dei college. Non vogliamo aggiustare il sistema, vogliamo fottutamente bruciarlo fino alle fondamenta". KV è passato a criticare quegli stessi "ragazzini liberal dei college" perché tornavano a dormire nelle loro stanze la sera e raccontava come, una volta, visitando la zona orientale del parco alla ricerca di un evento di "microfono aperto", si era sentito dire che l'organizzatore non era lì al momento, era "nel ghetto" – solo per scoprire che "nel ghetto" voleva dire la sua parte del parco, "vicino a 'lotta di classe'".

Il disprezzo poteva andare anche in direzione opposta. Daniel Levine, che ha contribuito a fondare lo "sportello informativo est", in cima alla scalinata sul lato orientale del parco, si adatta perfettamente alla caratterizzazione che KV faceva dei manifestanti della parte orientale: Levine è un ventiduenne studente del Baruch College che, invece di accamparsi nel parco, la sera tornava a dormire nel suo appartamento a Brooklyn. "La parte occidentale," dice Levine, "a volte diventa proprio sgradevole. Conosco qualcuno di quelli che si occupano dei servizi igienici e mi dicono che di solito è lì che ci sono zuffe e spacciatori"; per Levine era la sede degli "elementi più trasandati", e la parte occidentale era vista come un posto in cui non era possibile desiderare di passare del tempo, a causa dei "percussionisti, che non sanno suonare. In genere sembra di sentire qualcuno che bussa a una porta molto forte e per un sacco di tempo" e a causa di una esasperante concentrazione di "fottuti hippy che vogliono suonare *The Times They Are A-Changin'* diciotto volte di fila davanti al tavolo". Nonostante questi atteggiamenti, Levine non dava molto credito all'immagine di una divisione fra est e ovest del parco basata specificamente su ragioni politiche, e la definiva "una posizione interessante". Secondo lui, invece, il posto che ciascuno sceglieva era determinato non tanto da grandi ideali ma, più pragmaticamente, da dove si trovava di volta in volta il tavolo che distribuiva le sigarette gratis.

L'asse est-ovest non era affatto l'unico asse di divisione emerso nel corso dei primi due mesi. Quello socio-economico è diventato evidente nel parco in relazione ai problemi igienici. Gli occupanti appartenenti alla classe media, con un livello di istruzione più alto, avevano in genere amici, o amici di amici, con un appartamento non molto distante: questi contatti rendevano loro possibile un facile accesso a un bagno o anche a un letto in cui rimettersi in sesto quando sentivano il bisogno di allontanarsi un po' dall'occupazione. Gli accampati con un grado di istruzione più basso, più poveri e più problematici erano, invece, privi di ogni sostegno: anche gli attivisti della commissione "comfort" non sempre riuscivano a immaginare come poterli aiutare.

Quando alcuni residenti della zona che nutrivano simpatia per il movimento si sono offerti di ospitare per una doccia gli occupanti, i membri della commissione comfort hanno deciso di indirizzare alle abitazioni (di classe media) solo quelli che pensavano si sarebbero comportati in modo "educato" e "rispettoso" e che non facevano uso di droghe. Le persone più organizzate e con un capitale culturale avevano così migliori possibilità di curare la propria igiene; altri, non altrettanto fortunati (probabilmente fra gli "elementi più trasandati" della parte occidentale), avevano meno possibilità di farsi almeno una doccia.

Anche le aree dell'occupazione destinate al sonno si sono progressivamente differenziate per classe e razza. Un giovane occupante latinoamericano, David, raccontava che la parte nord-est del parco era piena di persone bene istruite e prevalentemente bianche, con un accampamento per la notte che si autodefiniva "i sacchi dell'Upper East Side", mentre nella parte sud-ovest di Zuccotti Park si trovavano "solo neri e latinos". Le divisioni erano "proprio come New York", notava David.

Il fattore di divisione più grave erano però le divergenze di opinione fra gli occupanti in merito all'assemblea generale e alle sue decisioni. Nonostante la struttura palesemente basata sul consenso, agli occhi di alcuni, in particolare fra i residenti della metà occidentale del parco, l'assemblea generale non era un organismo davvero rappresentativo della totalità degli occupanti del parco a tempo pieno.

Fra gli occupanti della parte occidentale di Zuccotti Park avversi all'assemblea generale, un punto di frizione forte è stata l'introduzione, decisa dall'assemblea, di grandi tende di tipo militare, inizialmente per dare alle donne che si sentivano minacciate uno spazio in cui dormire tranquille: KH del "campo lotta di classe" temeva che, nonostante le finalità originali di quelle tende, il loro uso si sarebbe diffuso e avrebbero scalzato quelle usate fino ad allora dagli occupanti, dando al parco l'aspetto sgradevole di una caserma.

Un'anonima ragazza, poco più che ventenne, era convinta dell'imminenza di una decisione dell'assemblea generale che avrebbe costretto gli occupanti a trasferirsi nelle tende militari, ed esprimeva una seria preoccupazione per i possibili rischi che vedeva nel condividere una tenda simile con un gran numero di estranei, oltre al timore di non riuscire, in quelle condizioni, a prendersi cura del suo gattino. Secondo lei, inoltre, l'assemblea generale non aveva alcuna autorità per dire agli occupanti che cosa fare: "Quelle fighette dell'assemblea generale neanche dormono qui," accusava, "e allora come possono andare in giro e venire a dire, a noi che viviamo qui, come viverci?".

Derrick, un altro occupante, a cui aveva espresso queste preoccupazioni, confermava di condividerle. Per parte sua, KV diceva anche che, a differenza di quelli che partecipavano all'assemblea generale, lui non poteva seguire quelle riunioni serali perché era impegnato a "tenere [il suo] campo", e definiva "una stronzata" il modello di consenso dell'assemblea, perché, come diceva, "solo perché non posso partecipare... non vuol dire che non ho una voce, e se voglio obiettare devo poterlo fare proprio adesso e dire 'andate a farvi fottere'". Fra questi manifestanti cresceva un senso di autenticità rivoluzionaria, la sensazione che non tutti nell'accampamento di Liberty Plaza avessero lo stesso livello di coinvolgimento nella protesta e che quindi non tutti avessero lo stesso diritto di far sentire la propria voce.

Queste erano solo alcune delle fratture che si andavano allargando all'interno della diversificata comunità residente a Zuccotti Park. Sono venute alla luce anche altre lamentele nei confronti dell'assemblea generale: a un certo punto, i "controlli microfono" sono entrati in conflitto con le percussioni dei Pulse, e la cosa ha portato a un confronto molto teso fra i due gruppi, che alla fine è stato disinnescato solo grazie all'intervento del corpo dei mediatori del movimento. In qualche caso anche degli illeciti hanno portato a episodi sgradevoli, come quando Dan Levine ha scoperto che il gruppo che rollava le sigarette, "Nick at Nite", intascava denaro del movimento, il che ha portato alla cancellazione del gruppo. Occupy Wall Street, un'azione intenzionalmente diversificata e inclusiva, doveva sempre di più confrontarsi, al suo interno, con le divisioni che permeano la società in generale.

La cucina

Se l'accampamento di Zuccotti Park era "semireligioso" (come lo definivano molti presenti nel parco, secondo la rivista "Rolling Stone") e "una insurrezione spirituale" (secondo la definizione di Micah White, redattore di "Adbusters"), per gli occupanti una delle azioni quotidiane più sacre era la visita alle cucine per la colazione, il pranzo o la cena.

Heather Squire ha trovato la sua vocazione fra le scatole di pizza, il burro di arachidi, la marmellata e le file di occupanti che passavano la notte nel parco e di visitatori diurni che, tendendo le mani, aspettavano di ricevere qualcosa da mangiare. Arrivando a Zuccotti Park per la prima volta il 1° ottobre Squire, trentun anni e una laurea in Sociologia, ha detto di aver passato i quattro anni trascorsi da quando ha ottenuto il titolo compilando domande d'assunzione per lavori da primo impiego qualche volta collegati direttamente, ma più spesso solo vagamente, con la materia in cui si era laureata. Non aveva trovato nulla, e il suo lavoro più recente era stato la consegna a domicilio di panini per 150 dollari alla settimana. Nel parco si è resa conto di sapere molto di ristorazione: da quando aveva quattordici anni aveva sempre lavorato nei ristoranti, come cameriera e tra i fornelli. Così è entrata a far parte del gruppo di lavoro della cucina di Ows.

La cucina si trova al centro del parco, e nelle sue prime settimane è rimasta aperta ventiquattro ore al giorno, sette giorni su sette, rifornita di una fantasiosa varietà di cibi frutto di donazioni. Una donna di mezza età era arrivata dal Bronx portando una abbondante zuppiera di chili: "Mio marito è nel sindacato dei trasportatori," ha detto, come se questo spiegasse tutto. Altri hanno portato frutta, ciambelle, dolci, hummus, piatti pronti. Sul sito web di Ows era stato pubblicato un elenco di ristoranti ubicati nelle vicinanze che facevano consegne a domicilio e da tutto il mondo arrivavano ordinazioni di cibo per gli occupanti pagate con carta di credito. Il proprietario di Liberato's Pizza, vicino a Wall Street, ha dichiarato al "New York Times" di aver ricevuto ordinazioni non solo da tutti gli Stati Uniti, ma anche da Germania, Francia, Inghilterra, Italia e Grecia. L'account di Twitter del gruppo di lavoro della cucina era pieno di messaggi con dovizia di punti esclamativi e ringraziamenti. "Mele appena colte dal Vermont!" esclamava un tweet. E un altro: "Un grande grazie a Nancy nel New Mexico per averci ordinato del gran buon cibo da Katz's Deli!".

In quei primi giorni, secondo Heather, chi lavorava nella cucina non faceva molto altro che aprire confezioni e lavare piatti. Ma la natura improvvisata delle donazioni e delle consegne a domicilio rendeva tutto molto incerto. "ABBIAMO BISOGNO DI UN PRANZO!" implorava un tweet del gruppo cucina. "MANDATE CIBO #OCCUPYWALLSTREET! SIAMO AFFAMATI!" Gli occupanti hanno cominciato a mettere a disposizione della cucina un budget di un massimo di 1500 dollari al giorno per integrare le risorse della ristorazione. Alcuni volontari si sono prestati a preparare cibi cotti nella cucina di casa loro, perché le regole del parco proibivano l'uso del fuoco e le forniture di energia elettrica erano fortemente limitate.

I coltivatori hanno aiutato il gruppo della cucina ad ampliare i menu: in ottobre arrivavano prodotti freschi su camion inviati dallo stato di New York, dal Massachusetts occidentale e dal Vermont. Piccoli coltivatori e distributori di prodotti biologici come Food Works, Littlewood e Six Circles si erano messi d'accordo per spedire i loro prodotti a Ows e all'occupazione di Boston. Avevano organizzato un gruppo che avevano chiamato "Feed the Movement" (Alimenta il movimento). Emily Curtis-Murphy, della Fair Food Farms a East Calais nel Vermont, ha realizzato un video per il blog di Feed the Movement, in cui diceva: "Qualcosa deve cambiare", un sentimento condiviso da molti coltivatori che fornivano i loro prodotti alimentari a Ows. Una delle preoccupazioni di Emily era che "tutto questo consolidamento della ricchezza non fa nulla per creare posti di lavoro per chi vive in un'economia rurale".

Chi lavorava nella cucina di Zuccotti Park poteva utilizzare alcuni dei prodotti donati, come cetrioli, lattuga, carote, e preparare direttamente insalate fredde, ma Heather voleva poter cucinare zucca, cereali e carne, e usare i latticini senza doversi preoccupare che andassero a male. Se la cucina avesse potuto preparare quei cibi, Ows avrebbe potuto ridurre i costi di ristorazione e utilizzare quanto risparmiato per rimborsare almeno in parte i coltivatori. Heather ha cominciato così a cercare una cucina commerciale con possibilità di conservare piatti caldi e freddi. Del tutto inaspettatamente, allo sportello informazioni si è presentato Leo Karl.

Leo è pastore di una chiesa evangelica e amministratore di Liberty Café, una mensa dell'East New York, un quartiere povero di Brooklyn. Ogni mattino il Liberty Café prepara pranzi nutrienti e gustosi per centinaia di poveri, e Leo era venuto a offrire la disponibilità della sua grande cucina ben attrezzata nel pomeriggio, in modo che Ows potesse preparare la cena.

Sfruttando le risorse di Liberty Café, Ows ha iniziato a cucinare enormi quantità di cibo, sufficienti per dare una cena ad almeno millecinquecento persone nei giorni feriali e a tremila nei fine settimana. La commissione sostenibilità ha contribuito sviluppando un sistema per lavare i piatti, in modo da evitare lo spreco dei piatti da buttare. La stessa commissione ha organizzato un sistema per smaltire i rifiuti, come ci ha spiegato Brennan Cavanaugh, uno dei fondatori: "Con tutti i prodotti alimentari che arrivavano e le donazioni e la quantità di cibo che veniva preparato, c'era un sacco di spreco. È stata mia moglie Catherine ad avere l'idea di creare dei bidoni di compost e di cominciare a portarli fuori. Poi io ho avuto l'idea di farlo con le biciclette".

Cavanaugh e gli altri hanno trovato il modo di collaborare con attivisti dotati di bicicletta e hanno formato una "brigata ciclisti" per portare via il compost. "Abbiamo due raccolte al giorno, quattordici alla settimana. Ieri abbiamo raccolto sette bidoni da cinque galloni. Ogni bidone pesa fra i 15 e i 17 chili, quindi sette bidoni fanno oltre 100 chili di compost da portar via ogni giorno." I gruppi di ciclisti portano l'umido da Zuccotti Park ai *community gardens* nel Lower East Side, come El Jardín Paraiso, Belinda M'Finda Kalunga Community Garden, La Plaza Cultural, il Lower East Side Ecology Center e una compost farm di Staten Island, Earth Matter. "Fanno il compost e hanno delle galline. Sono una fattoria viva. Arrivano con le loro biciclette e vengono a fare la raccolta due volte alla settimana."

L'energia dei pedali è stata usata anche per fornire elettricità alla cucina e al resto del parco: "Una delle prime cose che ci siamo resi conto di dover fare era rendere tutti liberi dai combustibili fossili. Così abbiamo fatto una bicicletta energetica," nota Keegan della commissione sostenibilità. "Ora possiamo pedalare per alimentare una batteria a ciclo profondo... abbiamo cominciato ad alimentare alcune delle cose di cui l'occupazione ha bisogno, come laptop, cellulari e videocamere. E non appena l'abbiamo messa in funzione sono arrivati quelli di tutte le altre commissioni dicendo che anche loro ne avevano bisogno."

A quel punto hanno cominciato a lavorare nella cucina

anche persone davvero esperte. Una era Eric Smith, che era stato chef al Midtown Sheraton di Manhattan ma aveva perso il lavoro: si è offerto volontario e ha messo a disposizione di Ows le sue capacità di cuoco e la sua esperienza nella ristorazione di grandi gruppi. Erin Littlestar si preparava per diventare chef ma ha cambiato i suoi programmi. Ha detto allo "Huffington Post" che si era iscritta al National Gourmet Institute, ma non ha iniziato i corsi, dopo aver passato una giornata a Zuccotti Park: "Ho avuto la sensazione che ci fosse qualcosa di più importante che dovevo fare che non andare a scuola a imparare la chiffonade," ha detto Erin.

Il "New York Post", con la sua usuale malignità, ha dedicato una prima pagina a una "tipica" cena di Occupy, preparata a Brooklyn: zuppa di pollo biologico con verdure, prezzemolo, rosmarino e timo; insalata con formaggio di pecora e salsa chimichurri con una punta di aglio; spaghetti; riso integrale; fagioli; e per dessert noci e banana chips donate da una cooperativa di Ithaca.

Il "Post" prendeva in giro il menu come una cosa da snob, ma trascurava due particolari. In primo luogo, la mensa di Brooklyn offriva ai poveri cibi simili al menu di Ows; in secondo luogo, per tornare a Zuccotti Park, il cibo di Ows non andava solo a quelli che da molto tempo erano abituati al formaggio di capra, ma la cucina nutriva anche molte persone meno benestanti, compresi i senzatetto.

Verso la fine di ottobre il gruppo di lavoro della cucina era un po' in affanno, per la debolezza dell'organizzazione rispetto al compito immane che doveva affrontare ogni giorno. Per citare solo una delle difficoltà: a Brooklyn era stata aperta una seconda cucina, ma chi era incaricato del trasporto qualche volta non si presentava né all'una né all'altra, così il cibo rimaneva inutilizzato e finiva per andare a male. Heather e altri membri del gruppo delle cucine volevano disperatamente rimettere ordine e sistemare le cose.

A fine ottobre hanno deciso allora di prendersi una pausa di tre giorni per riflettere e riorganizzarsi: nel frattempo avrebbero servito agli occupanti solo "pasti semplificati", come panini al burro di arachidi e marmellata. Ma le difficoltà della cucina si sono intrecciate con altri problemi. A Zuccotti Park si erano verificate violenze sessuali e si stava diffondendo l'uso di droghe e alcol. Il consiglio di pace ha discusso con il gruppo della cucina, avanzando il suggerimento di servire i pasti per due ore solamente, invece che sempre, "per scoraggiare la gente a venire all'accampamento strafatta," ricorda Heather. Quando il gruppo delle cucine ha annunciato il programma dei pasti "semplificati", il 27 ottobre, è successo l'inferno. Non capendo i problemi organizzativi, gli occupanti l'hanno accusato di voler far morire di fame i senzatetto. "La gente ha cominciato a dar di matto," riferisce Heather. "Si è arrivati quasi alla violenza."

Alla fine gli orari dei pasti sono stati ridotti e chi voleva mangiare doveva fare una lunga coda. Dopo la tre giorni di "semplificazione", il cibo è tornato a essere appetitoso e sano come prima. E tutti hanno mangiato.

Intorno alle 4 del mattino del 15 novembre, Heather e due altre persone che lavoravano con lei hanno incrociato le braccia, sedute per terra in mezzo a una pozza di senape e aceto che si erano rovesciati dalle bottiglie scaraventate a terra dalla polizia durante lo sgombero di quella notte. Avevano passato tutto il tempo a cucinare, servire e lavare i piatti, poi ancora a cucinare, servire e lavare altri piatti. Erano gli eroi della mensa, e forse era giusto che fossero le ultime persone arrestate nel parco.

La biblioteca popolare

Nei giorni iniziali dell'occupazione di Zuccotti Park, uno degli occupanti, un ventisettenne bibliotecario della New York University, Jez, aveva raccolto qualche decina fra libri, riviste e pamphlet. Li aveva messi su un muretto del perimetro nord-est del parco, sotto un cartello su cui aveva scritto a mano "Biblioteca". Una settimana più tardi quelle poche decine di libri erano diventate centinaia e ai primi di ottobre volontari, alcuni bibliotecari di professione e

altri semplici appassionati, ordinavano, catalogavano e contrassegnavano ogni nuovo elemento con un timbro di gomma "Occupy Wall Street Library". In poco tempo la biblioteca ha raggiunto i quasi cinquemila volumi, tutti donazioni: da *The Essential Chomsky* alle *Lettere* di Allen Ginsberg a *He's Just Not that Into You*.

Betsy Fagin, una delle fondatrici della biblioteca di Ows, è una signora tranquilla con una corona di ricci capelli scuri. Vive a Brooklyn e ha lavorato in parecchie biblioteche, fra cui anche la National Art Library di Londra. "Sono cresciuta a Washington, D.C.," racconta, spiegando come si è trovata coinvolta nell'occupazione. "I miei genitori hanno partecipato alla marcia di Martin Luther King. Mio padre è nero, mia madre bianca. La gente diceva loro: 'Non potete avere un figlio; è sbagliato, non va bene'. Ed eccomi qui."

Betsy non è mai stata un'attivista prima di Occupy Wall Street, ma ha avuto una premonizione: "Onestamente, lo so, suona un po' folle, ma l'ho sognato. Non in maniera cosciente, ma letteralmente, anni prima che succedesse. E poi... è successo".

Durante la seconda settimana dell'occupazione "sono semplicemente salita su un treno e sono venuta qui". Su-

bito le si è avvicinato un giovane che l'ha invitata a giocare a scacchi. "Abbiamo giocato. La sensazione che dava questo posto, come tutti fossero impegnati, le conversazioni,
mi hanno fatto sentire: 'Questo è davvero importante. Posso dare una mano'."

Cercava un modo di rendersi utile, e ha visto i libri. "Mi
sono detta: 'Sono una bibliotecaria. So organizzare i libri.
In questo momento, organizzare volumi è un atto rivolu-
zionario'." Poi è andata all'assemblea generale. " 'Ciao a tutti,' ho detto, ero un po' nervosa. 'Io sono una bibliotecaria
e vedo che c'è una biblioteca e nessuno che se ne prende
cura e sarei felice di farlo io se vi va bene.' Tutti hanno alzato le dita ondeggianti e così la biblioteca è diventata uf-
ficialmente un gruppo di lavoro."

Presto a Zuccotti Park ha cominciato ad arrivare gente
espressamente per lavorare nella biblioteca, qualcuno veniva addirittura da fuori città. Tra loro c'era anche Mandy
Henk di Greencastle nell'Indiana, che dista 1200 chilometri. Mandy è una bibliotecaria della DePauw University e
rispecchia alla perfezione lo stereotipo del mestiere: ha la
voce suadente, gli occhiali e i capelli tirati indietro. "Ho visto il cartello di Betsy, che diceva che la biblioteca aveva bisogno di bibliotecari. Era da un pezzo che aspettavo che
iniziasse un movimento. Così, quando è successo, mi è sembrato giusto unirmi."

Mandy ha fatto il suo primo viaggio a Ows il fine settimana della marcia sul Ponte di Brooklyn, e il secondo in occasione della chiusura autunnale. Presto c'è stato un terzo
viaggio: "Ci vogliono circa dodici ore per arrivare. La prima
volta abbiamo fatto la strada in macchina con figli e cane,
li abbiamo lasciati dalla nonna, poi mio marito e io siamo
venuti qui. Dopo sono sempre venuta in aereo". Ha portato
scatole di plastica e teloni per proteggere i libri da pioggia
e neve e, quando viene, rimane a dormire nella biblioteca.
"È incredibile quanto sia simile a una normale biblioteca. Il bello sta sempre nel lavorare con le persone e non nel
gestire i libri," dice, mentre applica un ex libris. "Ma penso
che sia una grande cosa. Specialmente quando ci sono bibliotecari di professione che possono dare una risposta al-

le domande più complesse di chi cerca materiale di consultazione: abbiamo avuto richieste su questioni legali, su questioni mediche, quel genere di cose."

Mandy sta perorando la causa di Occupy fra i suoi colleghi. "Facciamo una presentazione all'Ala, l'American Library Association. E moltissime persone visitano il blog della biblioteca popolare, su cui scrivo. Quindi, più che portare [Occupy] nella mia area geografica, mi do da fare per comunicare con i professionisti delle biblioteche."

Viene da fuori città anche William Scott, magro, viso allungato, aria diligente. Insegna Inglese all'Università di Pittsburgh e ha potuto partecipare perché era in anno sabbatico. Quando l'abbiamo intervistato, ci ha raccontato che il suo primo libro sarebbe stato pubblicato proprio quella settimana e aveva pensato di donarlo alla biblioteca popolare: "È un sogno che si avvera," ha detto.

Jaime, un altro bibliotecario, era orgoglioso del modo in cui venivano applicati i princìpi di Occupy per determinare come gestire i materiali della biblioteca: "Ai nuovi bibliotecari dico che possono classificare un libro dove pensano che sia giusto che vada. Non seguiamo la classificazione Dewey, né quella della biblioteca del Congresso. Se vedo un libro e penso che non sia nel posto giusto, lo metto da un'altra parte. Democrazia diretta. Se un titolo può andare nella sezione di economia o in quella delle donne o in storia, mi dico: 'Per quest'opera particolare, dove penso che la gente sarà più contenta di trovarlo?'. Il principio dell'uso dice: 'È questo il modo in cui i lettori useranno effettivamente questi libri?'. Certi romanzi vanno sullo scaffale 'giovani adulti' perché per tutte le adolescenti che conosco sono stati il primo contatto con la letteratura erotica, anche se si tratta di romanzi per adulti, ma li usano le adolescenti. Saranno contente di trovarceli lì. Se li si mette nella narrativa generale, nessuno li leggerà mai".

Il gruppo di lavoro della biblioteca ha creato un'antologia di poesia e ha collaborato in solidarietà con altre azioni in tutto il paese. "Abbiamo spedito materiale ad altre occupazioni, fra cui quelle di Philadelphia e Detroit," dice Jaime. Il gruppo ha creato anche un blog che contiene un motore di ricerca per identificare tutti i libri che i bibliotecari sono riusciti a catalogare e timbrare. Non sono tutti quelli passati per la biblioteca, perché a volte appena arrivava un libro qualcuno lo prendeva e non lo riportava più.

"La nostra politica di circolazione è, in sostanza, che se lo vuoi e pensi di averne proprio bisogno, allora prendilo. Chiediamo solo che ci dia qualcosa in cambio o lo riporti," ci ha spiegato Betsy. "La cinica che è in me dice che non è giusto darli via per niente." Ricorda quando è arrivata nella biblioteca dell'occupazione una persona da un negozio che acquista volumi usati. Le ha spiegato che ricevevano un sacco di libri da persone che li avevano presi dalla biblioteca popolare e volevano venderli. "Mi sono sentita un po' delusa," ricorda Fagin. "Ma poi qualcuno ha detto: 'Se vendono i libri probabilmente hanno bisogno di soldi'. E il tizio del negozio mi ha detto: 'Vorrà dire che prenderemo i libri e ve li riporteremo'."

I bibliotecari spesso sono impegnati con compiti di ricerca. "Arriva qualcuno e ci chiede cose come 'Cerco qualcosa sulle energie rinnovabili', e noi troviamo i libri e gli passiamo le informazioni," dice Betsy. Ma non c'è solo il lavoro. Scott si è emozionato quando è arrivata Angela Davis. È venuto anche Philip Levine, attuale poeta laureato degli Stati Uniti. Ha lasciato uno dei suoi libri, autografato. Sono venuti anche altri non tanto famosi, ovviamente: "Per stare un po' tranquilli, per leggere, pensare e incontrarsi fra loro e con il mondo, con tutta l'esperienza umana," dice Betsy. Per lei, la biblioteca era "il cuore" della comunità.

"Questo è un cambiamento di paradigma," dice ancora Betsy, parlando di tutto quello che succede a Zuccotti Park. "È l'inizio... non è neanche l'inizio, sta proprio partendo. Ma sta accelerando. Lo amo proprio, e una parte di quello che mi piace è timbrare i libri in modo che ci sia scritto 'Occupy Wall Street Library'."

Non molto tempo dopo che erano state fatte queste interviste a Betsy e ai suoi compagni, tutto e tutti sono stati sfrattati da Zuccotti Park. Dei cinquemila libri che la polizia ha gettato nei camion della spazzatura e portato via, solo 839 sono stati recuperati in condizioni decenti da una delle discariche della città; ne sono stati trovati anche alcuni altri, ma in condizioni irrecuperabili dopo il viaggio nei camion. Il resto, oltre quattromila libri donati alla biblioteca popolare, semplicemente è scomparso.

Sportello legale

Occupy Wall Street è, fondamentalmente, un movimento che affonda le radici nella tradizione della disobbedienza civile. Azioni simboliche, spesso tecnicamente illegali, sono il marchio di un movimento che è iniziato prendendosi uno spazio, senza chiedere permessi, nel centro stesso del capitalismo mondiale. In un movimento del genere, la consulenza legale è probabile si dimostri costantemente necessaria, e così è stato: la frequenza con cui il movimento ha dovuto impegnarsi in battaglie legali, a livello individuale e istituzionale, ha convinto Janos Martin, avvocato e partecipante a Ows, della necessità che il movimento tenga con i suoi legali rapporti il più stretti possibile. Forse meno visibile delle cucine o della tenda medica, l'accampamento di Occupy a New York ha potuto contare sin dalle prime settimane su un gruppo di lavoro dedicato al sostegno giuridico, attività che è rimasta vitale per tutta la durata dell'occupazione di Zuccotti Park.

Janos, avvocato del collegio di New York, è stato uno dei primi membri del gruppo di lavoro per le questioni legali. Ha saputo dell'iniziativa di Ows prima del 17 settembre attraverso "Adbusters", ma è riuscito a fare visita al parco per la prima volta solo due giorni dopo l'inizio dell'occupazione. Da principio è stato frustrato dalla natura non gerarchica del movimento nei suoi tentativi di identificare un contatto per il gruppo di lavoro (non c'era un unico coordinatore ben definito con cui parlare) nella seconda settimana dell'occupazione e, dopo aver lavorato per un po' nella biblioteca, ha trovato quello che stava cercando. Una sera, verso la fine di settembre, in un bar vicino al parco, ha potuto partecipare alla seconda riunione del gruppo, da poco costituito, per le questioni legali.

"Cerchiamo di riunirci ogni settimana, e c'è sempre qualche questione urgente," ha detto Janos a proposito del gruppo di lavoro. Nella prima riunione cui ha partecipato il problema urgente, che sarebbe rimasto una preoccupazione costante durante tutta l'occupazione, era quello del sostegno agli arrestati. Un problema grave che il braccio legale del movimento ha dovuto affrontare in quei primi giorni, ricorda Janos, è stato quello di ottenere la possibilità di colloquio con i manifestanti arrestati: la polizia semplicemente non consentiva l'accesso alle celle a un avvocato che si presentasse a un distretto, armato solo dell'affermazione di rappresentare i manifestanti arrestati ancora sotto custodia: la conoscenza delle generalità complete era un requisito fondamentale per poter parlare con loro.

Nell'assemblea generale di qualche giorno prima, il 23 settembre, attraverso il "microfono umano" era stata formulata una richiesta di aiuto legale per i manifestanti arrestati che ancora si trovavano nelle celle della polizia di New York, e Janos ha scoperto che nessuno sapeva il nome delle persone ancora in custodia e, di conseguenza, era impossibilitato a fare qualcosa per aiutarli.

La riunione nel bar doveva risolvere il problema e ne è derivata la formazione di un sottogruppo di sostegno agli arrestati, con l'incarico di organizzare e fornire materiali e appoggio legale per i manifestanti di Ows in cella. In quella riunione è stato creato anche un sottogruppo per le relazioni con gli avvocati, con il compito di mantenere i rapporti con la fonte principale di patrocinio giuridico del movimento Ows, la National Lawyers' Guild (Nlg). Una delle responsabilità del gruppo era raccogliere e trasmettere i nomi delle persone arrestate.

La National Lawyers' Guild è stata il perno della struttura legale del movimento Occupy Wall Street: è un'organizzazione nazionale di avvocati progressisti e radicali, che da parecchio tempo fornisce assistenza ai manifestanti, in particolare attraverso il suo programma di "osservatori legali". Questo programma addestra i singoli sulle procedure di osservazione di una protesta, prendendo appunti nel modo migliore, così da poter seguire al meglio i potenziali arresti. Abbigliati con un cappellino da baseball verde fosforescente, ben distinguibile, con la scritta "Legal Observer", i membri della National Lawyers' Guild sono stati una presenza visibile a ogni azione di Ows di qualche peso, hanno prestato attenzione a ogni possibile caso di comportamento scorretto da parte della polizia e hanno trascritto i nomi dei manifestanti arrestati. Alla fine di ottobre una ventina di avvocati della Guild faceva ricerche legali e rappresentava Ows nelle azioni giuridiche.

Subito dopo la sua formazione, il gruppo di lavoro ha aperto un tavolo a Zuccotti Park. Ne esisteva già uno per la consulenza legale, gestito dalla National Lawyers' Guild, ma era aperto solo dalle 17 alle 19, il che ne limitava l'utilità. Janos ha preso tre giorni di ferie dallo studio di New York in cui lavora per presidiare il nuovo sportello, posto accanto alla stazione delle relazioni con i media nell'angolo nord-est del parco. In quei tre giorni ha ascoltato una storia straziante dopo l'altra. Nella maggior parte dei casi, per esempio quando si trattava di problemi di pignoramento di abitazioni, erano problemi al di fuori delle possibilità del gruppo di lavoro e Janos si è trovato spesso in una difficile condizione di totale impotenza. In altre occasioni, però, in particolare quando si trattava di questioni legate agli arresti durante le azioni di protesta, ha potuto essere di aiuto.

Alla fine di ottobre, la struttura di consulenza legale di Ows si era ampliata, da un gruppo iniziale di una decina di persone a fine settembre a un totale di ventidue volontari un mese dopo, con una media di circa quindici azioni legali aperte in ogni momento. I cappellini verdi degli osservatori della National Lawyers' Guild si potevano notare praticamente in tutte le grandi proteste organizzate dal movimento Occupy. Nelle manifestazioni del 14 ottobre, per esempio, erano presenti sia a Zuccotti Park sia ai cortei diretti a City Hall e Wall Street. Durante quest'ultimo corteo, un osservatore legale è stato travolto da una moto della polizia: l'incidente è stato videoregistrato e il filmato si è rapidamente diffuso in internet. Scriversi il numero telefonico della Nlg sul braccio e usarlo per contattare gli avvocati subito dopo l'arresto è diventato una pratica normale per tutti i manifestanti.

Anche i rapporti fra il gruppo di lavoro per le questioni legali e il resto del movimento hanno avuto un'evoluzione. Lo spiega Janos: prima del 20 ottobre il procedimento che i singoli potevano seguire per intraprendere un'azione legale a favore di Occupy Wall Street non era ben organizzato e questo, qualche volta, ha prodotto l'avvio di cause sconsiderate, a favore del movimento, ma che l'assemblea generale in realtà non sosteneva, e che potevano dimostrarsi addirittura imbarazzanti o dannose per Ows.

Il 20 ottobre l'assemblea generale ha approvato una mozione, sostenuta da Janos, che rendeva obbligatoria l'approvazione dell'assemblea stessa per qualsiasi azione legale che potesse avere conseguenze per tutta la comunità di Ows. Il nuovo sistema non era perfetto, ammette Janos: a volte, dice, le questioni giuridiche richiedono interventi rapidi, cosa che le procedure di approvazione da parte dell'assemblea generale non favoriscono. Così, per esempio, mentre la National Lawyers' Guild aveva inviato a fine ottobre una diffida ai vigili del fuoco dopo la rimozione dei generatori di elettricità da Zuccotti Park, il procedimento effettivo era ancora in attesa di approvazione da parte dell'assemblea generale quando ci fu lo sgombero a metà novembre. Ma, nel complesso, Janos giudicava positivo il compromesso raggiunto fra efficienza e organizzazione. Il 15 novembre, quando alla fine il sindaco Bloomberg ha dato ordine alla polizia di sgomberare il campo di Ows, la Nlg ha risposto inoltrando al tribunale la richiesta di un'ordinanza restrittiva.

Il media center

Sin dai primi giorni, l'accampamento di Occupy Wall Street è stato meta frequente di visite da parte di rappresentanti della stampa, reporter di Nu1, il canale di informazione locale di New York, o giornalisti di organi di informazione stranieri come la Bbc inglese, La Sexta spagnola o Al Jazeera. Con i giornalisti sono arrivate anche le domande: il movimento Occupy si è reso rapidamente conto di aver bisogno di sostenitori capaci e informati in grado di tenere i rapporti con la stampa, di rispondere alle numerose domande che sorgevano su una sollevazione difficile da inquadrare, senza leader e apparentemente senza richieste. Il movimento si è dato subito da fare per costituire un gruppo di lavoro per le relazioni con i media, un gruppo di occupanti incaricati, forniti di informazioni sul movimento e che uscivano dalle sue fila, nella speranza di comunicare almeno una parte di verità sull'accampamento a Zuccotti Park attraverso mezzi di informazione spesso caratterizzati da travisamenti e confusione.

Il gruppo delle relazioni con la stampa ha fissato la sua sede nell'area nord-est del parco, in mezzo a un grappolo di gruppi fra i più visibili e importanti, come quello della biblioteca popolare e quello per la consulenza legale. Mark Bray e Senia Barragán sono stati fra i primi membri del gruppo: attivisti da molto tempo, si autodefiniscono anarchici, sono una coppia, nella vita quotidiana sono dottorandi in Storia, e hanno iniziato a partecipare al movimento Occupy dal primo giorno, quando, avendo saputo attraverso Facebook dei piani di occupazione, si sono uniti al primo corteo di Ows a Wall Street, il 17 settembre. Per Senia, in particolare, l'adesione al movimento non era solo la conseguenza di convinzioni politiche, ma era anche motivata da ragioni personali. Come ci ha spiegato, c'era stata un'occasione in cui la sua famiglia si era quasi vista pignorare la casa a causa di una singola rata di mutuo pagata in ritardo. Mark invece pensava di poter essere utile al movimento sfruttando le competenze di *public speaking* acquisite insegnando storia, per poter far arrivare ai media messaggi chiari.

Facendo parte del gruppo per le relazioni con la stampa, le interviste hanno costituito sin dall'inizio una componente importante dei compiti di Mark e Senia, tanto più che non se la sentivano di accamparsi nel parco come altri partecipanti a Ows. Per svolgere le funzioni di rappresentanti del movimento davanti alla stampa dovevano presentarsi ogni giorno ben curati e con i vestiti puliti, il che comportava tornare ogni sera alla loro casa a Jersey City, nel New Jersey.

Le interviste erano frequenti, tre al giorno, secondo una stima, e, come ha detto un altro membro del gruppo, Jason Ahmadi, con "[la più grande] varietà di giornalisti che abbia mai visto in tutta la mia vita", che coprivano "tutto quello che si può immaginare". Uno degli interventi di profilo più alto si è svolto il 16 ottobre, quando Mark ha partecipato a un'intervista con Al Jazeera, in cui ha discusso con Alessio Rastani, un agente di Borsa indipendente, e ha presentato una spiegazione diretta, in due parti, di quello che il movimento Occupy Wall Street cercava: giustizia economica e una forma di politica più democratica e trasparente che rispondesse delle sue azioni ai cittadini anziché alle grandi corporation.

Quattro giorni prima, a un intervistatore di Cnn Money, aveva fatto osservare che quanti criticavano il movimento per la sua mancanza di richieste non ne coglievano il senso: Ows cercava una conversazione sullo stato del paese, non voleva presentare un elenco finito di obiettivi. "Se si fosse preparato un elenco di tre o quattro richieste," sosteneva, "la conversazione sarebbe finita prima ancora di cominciare."

Il 14 novembre, il giorno prima dello sgombero effettuato dalla polizia, Mark era ancora in primo piano: in quell'occasione parlava al sito web di giornalismo progressista Nation of Change, argomentando il perché prevedesse che Occupy Wall Street non si sarebbe allineato a qualche partito politico esistente. Quando infine gli occupanti sono stati temporaneamente allontanati da Zuccotti Park il 15 novembre, Mark ha trascorso le prime ore della giornata, a partire dall'1 di notte circa, quando è iniziato lo sgombero, fino all'alba, andando avanti e indietro fra il suo appartamento nel New Jersey e Zuccotti Park, per parlare con i rappresentanti degli organi di informazione che avevano parcheggiato i loro furgoni sulla strada che costeggia il lato meridionale del parco. Il giorno seguente ha rilasciato un'intervista telefonica a "Bloomberg Businessweek", nella quale ha confutato l'affermazione di Steve Miller, presidente dell'Aig [American International Group, una grande compagnia di assicurazioni], secondo cui i manifestanti di Ows avevano idee "prive di raffinatezza" sulla relazione fra Wall Street e la generale prosperità dell'America, quella che chiamava "Main Street".

Neanche per Senia Barragán scarseggiavano le interviste, ma, per ragioni familiari, non poteva recarsi ogni giorno a Zuccotti Park. In seguito al successo riportato da Ows il 14 ottobre nell'opposizione alla Brookfield Properties, ha parlato con Al Jazeera, definendo la ritirata della Brookfield Properties una "grande vittoria" per il movimento, e ha detto alla rivista "Time" che "non è mai stato un problema di igiene. È sempre stato solo un pretesto per lo sgombero". Un mese dopo, come portavoce di Ows, ha parlato alla Nbc New York e con la South African Broadcasting Corporation, la mattina della "giornata d'azione" del 17 novembre, quando i manifestanti hanno cercato di bloccare l'accesso a Wall Street.

Oltre che con le interviste, Senia era impegnata anche con un progetto del gruppo di lavoro per le relazioni con la stampa: creare una lista di portavoce tratti dai vari gruppi di minoranza di Ows. In questo modo sperano di sottolineare la diversità al suo interno e di portare in contatto con i media che si occupavano di Ows un maggior numero di voci poco rappresentate. Inizialmente, ci ha spiegato, la squadra della stampa era composta prevalentemente da bianchi e da maschi, una cosa contraria alla pratica di Ows di privilegiare le voci dei gruppi storicamente privi di diritti ed emarginati. Senia, che è di origini colombiane, era stata, ricorda, la prima persona di colore impegnata nelle relazioni con la stampa e, dapprincipio, non era stata presa seriamente dai membri della stampa, anche se aveva fatto particolare attenzione a vestirsi in modo professionale. Spiegava che il gruppo di lavoro si era andato diversificando significativamente in conseguenza del continuo impegno ad attirare nuove persone, e la lista dei portavoce provenienti dalle minoranze continuava a crescere.

Il tipo di domande e risposte che i membri della squadra per la stampa, come Barragán, Bray e Ahmadi, offrivano in queste interviste era un riflesso della natura orizzontale, senza richieste, del movimento. Molte delle risposte che fornivano erano descrittive, anziché analitiche. Indirizzavano i rappresentanti della stampa verso i partecipanti a Occupy da cui potevano avere le risposte specifiche che volevano, oppure rispondevano direttamente a domande sul movimento, ma stavano sempre attenti a non esporre le proprie aspettative o i propri obiettivi come se fossero elementi condivisi da tutto il movimento. Come dice Jason, nei casi in cui nelle interviste arrivavano interrogativi relativi ai "messaggi", domande sul messaggio del movimento, i suoi obiettivi o le aspettative per il futuro, "formulavano molto chiaramente delle frasi in prima persona, dicendo 'io credo questo', 'io vorrei', 'questi sono i miei obiettivi'". Nella maggior parte dei casi, le domande erano del tipo: "Quando ve ne andrete?", "Che cosa farete per l'inverno?", "Quali sono i vostri obiettivi?" e, analogamente, "Perché siete qui?". Qualche volta, però, arrivava anche qualche domanda strana, su argomenti del tutto estranei, come quando una giornalista ha chiesto a Jason della sua vita affettiva. Quella particolare occasione era un motivo di orgoglio per Ahmadi, perché, ci raccontava, aveva "saputo rigirarle la domanda", spostando la conversazione sulla relazione della giornalista con un medico con figli, e sulla sua opinione che non ci fossero uomini in gamba con cui uscire a New York.

Le relazioni con la stampa, però, erano solo una dimensione di un progetto di più ampio respiro, quello di raggiungere il pubblico al di fuori del parco e diffondere il messaggio di Ows. Un'altra persona che ha contribuito, forse in modo inconsapevole, ad aumentare la trasparenza del movimento e a connettere gli esterni agli eventi interni è stato un ventisettenne utente di Twitter, un uomo noto con il suo identificativo DiceyTroop, che, come dicevamo, ha documentato dal vivo, in tempo reale, via Twitter, i lavori delle riunioni serali tenute dall'assemblea generale di Ows.

Come per Senia, anche i motivi per cui DiceyTroop si è impegnato inizialmente in Occupy Wall Street erano personali e non solo politici, radicati nella sua biografia: nato a Foxboro nel Massachusetts, si era formato nella chiesa unitariana universalista e da ragazzo aveva contribuito a formare un'organizzazione giovanile radicale all'interno della chiesa, la quale, fra le altre cose, aveva adottato il modello di discussione e di decisione basato sul consenso. Quando DiceyTroop ha assistito per la prima volta a una assemblea generale, il suo cervello, come dice lui, "è esploso": ecco lì centinaia di persone che applicavano con successo il modello del consenso all'esterno e in pubblico, mentre lui l'aveva visto sempre in opera solo in "circoli radicali chiusi".

Affascinato, ha pubblicato un resoconto dell'assemblea generale di quella serata, tramite il suo normale account di Twitter, e se l'è visto subito retwittato dall'account principale di Ows e poi da altri settanta utenti. Rendendosi conto di avere individuato un bisogno (fino a quel momento non c'era stata alcuna documentazione dei lavori dell'assemblea generale su Twitter), è tornato la sera successiva per raccontare dal vivo su Twitter tutto l'evento. Ha continuato a farlo per varie settimane finché, a disagio per il gran numero di follower che DiceyTroop come individuo si era conquistato, persone che secondo lui "in realtà appartenevano al movimento", ha contribuito a creare una "squadra Twitter" che da allora si è assunta il compito di fare la cronaca in diretta dei lavori dell'assemblea generale, sotto il nome collettivo di LibertySquareGA.

Spazio di meditazione

All'incrocio fra Liberty e Trinity, pochi passi all'interno dell'angolo nord-ovest di Liberty Square, c'è un albero circondato da basse panchine di granito. Queste panchine formano un anello attorno all'albero, che così è diventato un punto focale. Si tratta di un platano comune, un ibrido fra un platano orientale e un platano occidentale. La maggior parte degli alberi nei parchi della città di New York è lì a ricordare in un modo tutto particolare la giungla di asfalto che li circonda: non c'è nulla di naturale in un albero che spunta da lastre di granito lucidato. Ma questa pianta è diventata uno dei punti focali dell'accampamento di Ows in Liberty Square. Lontano dal continuo andirivieni nell'area dell'assemblea, della cucina e delle decine di altri gruppi di lavoro, l'Albero della vita (così l'hanno ribattezzato gli occupanti) è diventato il centro spirituale del parco. Esiste anche un'altra testimonianza precedente della sua importanza: quell'albero è sopravvissuto al collasso del World Trade Center, a un solo isolato di distanza, l'11 settembre.

Nelle settimane precedenti l'occupazione di Zuccotti Park, membri della Meditation Flash Mob (MedMob per brevità), una comunità olistica che da anni crea eventi nell'area metropolitana di New York, avevano meditato a Wall Street davanti al NY Stock Exchange, la Borsa di New York. Avevano organizzato meditazioni pubbliche anche a Union Square e nel parco di Washington Square. Anthony Whitethurst, membro di MedMob, descrive il collettivo come una iniziativa collaborativa di molti singoli, con dieci o dodici facilitatori. La struttura di MedMob, ha aggiunto, vuole essere universale: "Comprende il canto dell'*om*, la meditazione silenziosa e l'esecuzione di musica". Dopo una meditazione, il 5 ottobre membri di MedMob e del gruppo di lavoro sulla coscienza, nonché altri gruppi della comunità, hanno iniziato la creazione di un altare. Charlie Gonzalez, fondatore del gruppo per la coscienza, ha preparato un cartello che dichiarava il platano "Albero della vita, spazio sacro della comunità". Nel giro di qualche giorno, quello spazio ha cominciato a fiorire.

Lo spazio sacro, come è indicato sulla mappa di Zuccotti Park, era usato per la riflessione personale, lo yoga, il canto, la preghiera e gli incontri con finalità spirituali. Quando abbiamo parlato con i partecipanti coinvolti nella sua creazione, hanno voluto mettere in chiaro che non era di proprietà di alcun gruppo, né definito da qualcuno in particolare. Come diceva Charlie, era invece "uno spazio collettivo condiviso, in cui molti gruppi diversi possono operare nei loro modi particolari, e tutti avranno i loro punti di vista e le loro opinioni".

Il primo altare all'Albero della vita era stato fatto a mano e donato da un sostenitore di Ows. Michael Rodriguez, un occupante nato a New York, stava spesso all'albero e ha costruito un secondo altare; con Brendan Butler, un altro membro del gruppo per la coscienza, ne ha curato la manutenzione e il progetto per la maggior parte dei giorni in cui è rimasto in piedi. Rodriguez e Butler spesso erano chiamati i "guardiani dell'altare". Intorno a questo altare, i membri del pubblico e del gruppo Occupy Wellness (fra cui MedMob, Occupy Yoga, l'Interdependence Project e altri gruppi) hanno organizzato e seguito cinquantotto giornate di preghiere continue, meditazione due volte al giorno, musica, pratiche interreligiose, riti e discussioni comunitarie. Occupanti e visitatori hanno arricchito l'altare con una miriade di oggetti: salvia, fiori, candele, statue di Buddha, divinità indù, decorazioni del giorno dei morti, cartelli di pace, crocefissi, maschere balinesi, rosari, petali di rosa, collane mala, pietre, piume, conchiglie, cristalli, incenso, candele, statuette, fotografie di maestri spirituali, cartelloni e opere d'arte.

Nella vita quotidiana di Ows, lo spazio sacro offriva un rifugio dalla folla e dalla confusione, un posto in cui gli occupanti potevano fermarsi a riflettere sui loro sentimenti e le loro priorità. Le panchine offrivano anche un posto in cui turisti stanchi e visitatori potevano sedersi e interagire con gli occupanti. Il 28 ottobre Brendan ha creato una pagina Facebook per l'Albero della vita. In quella pagina, l'albero è descritto come "un altare della comunità e uno spazio sacro dedicato a unificare il 100 per cento". Fateh Singh di Occupy Yoga ha aggiunto che "fungeva da simbolo, una vera pietra di paragone, per quelli che credevano in qualcosa di più grande di se stessi. In quel modo, era un perfetto centro spirituale del movimento Occupy, e una rappresentazione materiale della consapevolezza." All'Altare della vita sono stati celebrati anche uno o due matrimoni, testimonianza del suo ruolo nel movimento. Commenta Charlie: "La bellezza dell'idea di 'Albero della vita' è che non deriva da una religione o da un dogma, ma è presente in tutte le tradizioni, e anche nella scienza, come simbolo della nostra interconnessione".

Non era privo di significato che l'Albero della vita si trovasse in una posizione da cui si poteva vedere la nuova torre uno del Wtc, e solo a pochi isolati dal monumento commemorativo dell'11 settembre. Anche se qualche volta lo si dimenticava nella confusione della piazza, Lisa Montanarelli, facilitatrice del gruppo di meditazione, ha visto che spesso le persone ne parlavano nelle discussioni che facevano seguito alle sedute di meditazione. Gli attacchi dell'11 settembre al World Trade Center erano visti anche come proteste anticapitalismo, che avevano preso a bersaglio i simboli della potenza economica americana. Quelli che vedevano questa correlazione erano convinti che il ricordo degli attacchi rendesse Ows un movimento più consapevolmente non violento e aperto alla diversità religiosa. Mentre l'11 settembre è stato spesso letto come un atto di una guerra di religione fra cristiani e musulmani, o come uno "scontro di civiltà" fra l'Occidente euro-americano e il mondo arabo, Ows vedeva le sue radici nella Primavera araba e promuoveva la solidarietà con analoghe proteste contro le grandi aziende in tutto il mondo, indipendentemente dai confini nazionali o dalle differenze di credo religioso.

Con lo sviluppo dell'occupazione, il gruppo per la coscienza è cresciuto, attirando membri da MedMob e da molte altre organizzazioni. Il gruppo ha promosso numerose attività, fra cui un circolo delle donne, un circolo degli uomini, "passeggiate degli angeli", meditazione, ristabilimento dell'energia individuale, comunicazione non violenta con la polizia e lavoro di canalizzazione e del guerriero spirituale. Come sua missione più generale, il gruppo dava sostegno a eventi e idee che promuovessero la crescita della consapevolezza di gruppo di Ows. Secondo i suoi membri, era questo il motivo per cui le attività del gruppo erano così tante e così variegate.

Il gruppo di lavoro sul benessere è nato dall'impegno di

singoli come Fateh Singh di Occupy Yoga, che ha cercato di far collaborare fra loro tutti i gruppi e ha fatto in tempo a organizzare solo pochi incontri, prima dello sgombero del parco. Era un gruppo inclusivo, unificante, che metteva in primo piano la consapevolezza. Interdependence Project (Idp), una organizzazione no profit con un approccio laico alle pratiche buddiste, ha iniziato le meditazioni quotidiane il 19 ottobre e Adreanna Limbach, in particolare, ha speso molte energie nell'organizzazione delle sedute quotidiane e nella creazione del gruppo di lavoro sulla meditazione. Interdependence Project mira a coltivare una comprensione della connessione fra pratiche di trasformazione personale e la trasformazione sociale, attraverso seminari dedicati all'arte, all'attivismo, alla meditazione, ai rapporti tra filosofia buddista e psicologia occidentale. Agli incontri del gruppo partecipavano buddisti di molte tradizioni diverse e praticanti laici della consapevolezza. I presenti erano probabilmente molto diversi fra loro, ma il gruppo non chiedeva informazioni sulle convinzioni spirituali o le affiliazioni religiose.

I membri continuavano a parlare di come introdurre pratiche laiche di consapevolezza nelle procedure delle riunioni dell'assemblea generale e nei gruppi di lavoro, per facilitare la comunicazione non violenta, l'ascolto profondo e la compassione per se stessi e gli altri. Uno degli obiettivi del gruppo era mettere a disposizione uno spazio in cui le persone potessero affrontare le differenze esistenti, anziché sopprimerle. Le sedute di meditazione ponevano i singoli in contatto con le loro risposte a problemi particolari in un contesto non violento, non oppositivo, il che permetteva di evitare reazioni immediate, spesso basate su incomprensioni e foriere di disaccordi più gravi.

Le meditazioni quotidiane erano limitate, ma chiaramente benefiche. Il gruppo di lavoro offriva sedute di un'ora ogni giorno feriale dalle 15.30 alle 16.30 e nei fine settimana dalle 13 alle 14. I facilitatori della meditazione provenivano da due gruppi, l'Interdependence Project e MedMob, e cambiavano a rotazione ogni giorno; spesso c'erano una meditazione ambulante e una, guidata, da seduti. I facilitatori fornivano le istruzioni, a partire da *shamatha* (che comporta la consapevolezza del respiro, accorgendosi quando la mente divaga per riportarla alla concentrazione) e una meditazione sulla gentilezza (in cui i partecipanti partono dall'amore per se stessi e le persone care e lo espandono gradualmente all'esterno, fino a includere tutti i viventi).

Figure ben note della comunità spirituale di New York hanno dato il loro sostegno alle meditazioni a Zuccotti Park: il gruppo per la meditazione ha coordinato gli interventi pubblici di Robert Thurman, fondatore della Tibet House; Russell Simmons ha partecipato a uno dei circoli di meditazione; Deepak Chopra ha condotto una meditazione di gruppo nel parco. La reazione che i facilitatori sentivano più spesso era che la meditazione aveva aiutato i partecipanti a prendere le distanze da emozioni intense: potevano scegliere se agire o meno seguendo la loro collera, per esempio. In varie occasioni, uno dei partecipanti era pronto ad attaccare un altro manifestante alla successiva riunione ma, dopo la meditazione, decideva di affrontare gli altri con maggiore empatia.

MedMob, oltre alle classi facilitate, offriva meditazioni silenziose. Charlie Gonzalez ha descritto così il suo ruolo, al di fuori del gruppo: "Per la maggior parte del tempo ero in giro da una parte all'altra del parco per disinnescare situazioni a rischio, parlare con le singole persone per favorire la pratica dell'ascolto attivo e la condivisione di idee, e per ricordare a tutti che siamo già liberi e non dobbiamo chiedere niente a nessuno per realizzare la nostra liberazione. Non ero lì per protestare. Ero lì per creare insieme un mondo nuovo". Charlie ha avvertito una trasformazione globale della coscienza; le persone cioè cominciavano a rendersi conto di non essere alienate come credevano, ma di essere parte di una interconnessione più ampia.

John Paul Learn, un altro membro di MedMob, sottolineava il ruolo che avevano le meditazioni di gruppo nell'attirare i singoli a Ows: "Le meditazioni di gruppo mostravano una intenzione e un'azione che andavano al di là della non violenza e davvero abbracciavano e incorporavano la compassione". Le meditazioni di gruppo sono arrivate a coinvolgere oltre duecento persone, che concentravano la loro "attenzione altruistica su un'area comune, apparentemente non religiosa o non spirituale nella sua effettiva costituzione fisica, e dimostravano che i luoghi e le persone che vi si trovano possono essere trasformati letteralmente in uno spazio sacro... se lo consentiamo a noi stessi," ha detto Learn. Per loro, la meditazione era una forma di azione indiretta.

Dopo le sedute di meditazione, i facilitatori conducevano discussioni di gruppo relative ai modi più sani di affrontare le varie sfide presentate dall'occupazione. Dopo una particolare seduta, Lisa Montanarelli ricorda di aver sentito parlare dei "sacchi dell'Upper East Side". Chi aveva usato quell'espressione si riferiva alle divisioni di classe emerse nel parco. Lisa aveva appena guidato una meditazione buddista di gentilezza amorevole, che comportava la visualizzazione di una persona con cui si aveva una relazione difficile o problematica e poi l'estensione dell'amore a quella persona. Dopo, quando i partecipanti avevano discusso della collera, un giovane occupante di origine latinoamericana, David, aveva parlato di come in tutto il parco si fosse diffuso il conflitto fra "quelli che hanno" e "quelli che non hanno": "Se guardi al lato sud-est del parco, sono tutti bianchi e bene istruiti. C'è un accampamento per la notte, si definiscono i 'sacchi dell'Upper East Side'. Ci sono poche persone di colore che dormono nel lato sud, ma anche loro sono bene istruite. Invece, il nord-ovest è tutto di neri e latinos. È proprio come New York City".

Il gruppo poi ha parlato di come Ows fosse un tentativo di creare una comunità in cui le persone si prendevano cura (e si preoccupavano) le une delle altre, ma tutti dovevano cambiare, in modo da non replicare le stesse gerarchie di classe e razziali che esistono nella società da cui provenivano. Sia, una donna nera di poco più di vent'anni, diceva: "Possiamo creare una struttura diversa sull'esterno delle cose ma, se non cambiamo il nostro modo di vedere dall'interno, in realtà non cambia proprio nulla".

Anche Occupy Yoga ha avuto un ruolo nella vita dello

spazio sacro. Un gruppo di insegnanti di kundalini yoga ha iniziato a tenere lezioni serali a Zuccotti Park: la prima si è svolta l'11 ottobre con cento partecipanti e, nel momento in cui scriviamo, le lezioni sono continuate tutte le sere da allora. Il gruppo offriva lezioni di meditazione kundalini yoga fra le 18 e le 19 intorno all'Albero della vita ed era stato fondato da Fateh Singh e Hari Simran Khalsa, ma gli insegnanti ruotavano: c'erano anche vari maestri anziani, sia di New York sia provenienti da altri stati, che avevano studiato con Yogi Bhajan. Alcuni, come Sat Kartar Kaur, musicista raffinato, sono arrivati fin dalla California, solo per tenere una lezione una sera e offrire il loro apporto a Occupy Wall Street.

Nelle giornate di pioggia i membri del movimento incorporavano azioni creative, come servire i pasti o il tè o aiutare nelle pulizie del campo, per contribuire agli obiettivi dell'unità e della protesta pacifica. Gli occupanti ricordano gli yogi che conducevano pratiche di meditazione attiva nella piazza, dove i partecipanti e i visitatori stendevano i loro tappetini, oppure seguivano rimanendo in piedi. Fateh Singh ci ha descritto la sua esperienza delle lezioni serali: "C'erano trenta-quaranta persone ogni sera e avevamo sempre lezioni nel circolo, e chiunque volesse unirsi era ben accetto".

Dopo lo sgombero del 15 novembre, Michael Rodriguez, Brendan Butler e Charlie Gonzalez sono andati alla discarica e hanno recuperato una statua Quan Yin, anche se rovinata. Tutto il resto sembra sia andato distrutto, comprese tre reliquie (fra cui una *thangka* tibetana e una maschera balinese). Charlie ha proposto ad alcuni membri del gruppo di scrivere una petizione di protesta che potesse essere sostenuta da tutto il gruppo e di chiedere poi ai leader spirituali di tutte le tradizioni di firmare il documento. Ha anche proposto che il gruppo per la coscienza invitasse i leader delle comunità a tenere una conferenza stampa congiunta e a organizzare un evento per ricostruire l'altare. Per molti, gli oggetti distrutti erano sacri: per Fateh Singh la distruzione dimostra "la mancanza di rispetto per la libertà di esprimersi delle persone religiose". Sempre Charlie ha proposto al gruppo per la coscienza di intraprendere un'azione legale per la profanazione dell'altare: "Il nostro obiettivo è ristabilire le condizioni per mantenere uno spazio sacro aperto a tutto il pubblico. Speriamo di trovare un modo per raccogliere lo spirito di ogni approccio religioso e basato sulla fede, per aggregare, costruire comunità e migliorare le nostre relazioni umane, per andare collettivamente verso un futuro migliore," ha detto Singh.

Rebeka Beiber, che ha partecipato, dalla seconda settimana di Ows, a MedMob, al gruppo per la coscienza e poi al gruppo di lavoro sulla meditazione, ha aggiunto che "con lo sgombero è arrivata una pratica di non attaccamento, c'è stato uno spostamento dall'attaccamento a un 'luogo' e ci si è concentrati maggiormente sulla creatività". Quanti partecipavano, organizzavano e facilitavano all'interno del gruppo per il benessere erano convinti che l'integrazione di passato, presente e futuro fosse essenziale per il loro processo. Questa connettività era il risultato della convinzione fondamentale del gruppo, che una persona piena di pace e un collettivo pieno di pace portino a una terra piena di pace. "Quello che è degno di nota in Ows è proprio la rapidità con cui ci adattiamo e *come* ci adattiamo," dice Beiber.

Per quanti erano impegnati nel gruppo per la coscienza, e per il movimento Ows in generale, l'Albero della vita era un'espressione diretta degli intenti spirituali collettivi delle persone e del diritto alla libertà di religione. Era una creazione inclusiva, aperta e collaborativa, nata dalle donazioni, dal tempo e dalla fatica di centinaia di persone. Era diventato uno spazio di incontro pacifico per la riflessione e la preghiera ed era un luogo di ristoro e di tranquillità all'interno della piazza. "Queste azioni," ha detto John Paul Learn, "hanno contribuito a creare, all'interno del movimento, un ambiente più partecipativo e inclusivo e ad ampliare il raggio d'azione delle voci che si facevano sentire."

La tenda medica

Non appena si è messa in moto l'occupazione di Zuccotti Park, è emerso un piccolo gruppo di medici di strada, profondamente motivati, che si è preso cura della salute dei manifestanti. I medici di strada hanno fatto parte della cultura della protesta sin dai tempi del movimento dei diritti civili a metà degli anni sessanta, quando i manifestanti hanno scoperto che per la loro causa la presenza di medici ben disposti era indispensabile. Allora era evidente che, di fronte alle brutalità della polizia, non potevano aspettarsi dalle autorità un'assistenza medica adeguata. I manifestanti di mezzo secolo fa hanno anche scoperto che, come diceva il "manuale di orientamento" del 1966 del Medical Committee for Human Rights (uno dei primi gruppi volontari di medici attivisti), "sembra che si verifichino meno violenze reali se si sa che sono presenti medici professionisti". Con un'organizzazione poco rigida e localmente autonoma, i medici di strada sono diventati una parte indispensabile della tradizione del dissenso in America: sono stati molto attivi nelle proteste contro la Guerra in Vietnam, nell'American Indian Movement e nelle Black Panthers, oltre che in un'ampia gamma di movimenti di dissenso politico nell'ultima parte del Ventesimo secolo. Tom Hayden, già attivista della Students for a Democratic Society, che ha una formazione medica, ha spiegato che "c'era bisogno di un'alternativa agli ospedali: la polizia sarebbe andata negli ospedali a cercare i fuggitivi per arrestarli".

Prima di Occupy Wall Street, il momento in cui si è definita la medicina di strada attuale è stato quello delle proteste contro il Wto a Seattle nel 1999. In seguito a quelle proteste, i medici hanno organizzato collettivi e iniziato ad addestrare un maggior numero di persone in grado di offrire cure in situazioni di crisi. Questi collettivi hanno avuto un ruolo in gran parte passato inosservato in molti eventi importanti: erano rappresentati tra la flotta che portava aiuti umanitari a Gaza nel maggio 2010 quando gli israeliani hanno ucciso nove attivisti, e hanno allestito cliniche permanenti a New Orleans e in altre aree scarsamente servite dal sistema ufficiale.

La convinzione che sta alla base e anima la medicina di strada è che l'assistenza medica è un diritto umano e deve essere disponibile per tutti gratuitamente e immediatamente. Alcuni dei medici che hanno costituito il nucleo della squadra attiva a Zuccotti Park, fra cui Pauly Kostora, sono stati gli operatori sanitari più impegnati all'indomani degli uragani e del terremoto di Haiti. Pauly mi ha detto che quell'esperienza gli ha dato un senso della prospettiva e delle dimensioni per cui il lavoro a Zuccotti Park gli è sembrato, invece, molto tranquillo.

Il 17 settembre, Pauly e un esiguo numero di altri medici erano presenti all'inizio dell'occupazione, attrezzati solo con il minimo indispensabile: bende, disinfettante, garze. Costituivano l'unica parte dell'occupazione che doveva essere attiva e in servizio per ventiquattro ore al giorno, perciò erano ben felici di accettare l'aiuto offerto da chiunque volesse essere coinvolto. Breanna Lembitz, una ventunenne che si è unita all'occupazione qualche giorno più tardi e che in seguito si è profondamente impegnata in altri aspetti del movimento, ricorda con una certa tenerezza il primo approccio con l'équipe medica: "Ci sono stati tre arresti quel giorno, e i medici erano preoccupati di essere troppo pochi, se venivano arrestati tutti. A quel punto c'eravamo io, un'altra ragazza, Lily [Johnson] e sei uomini. Insomma, io e uno stuolo di fratelli".

L'area medica è stata la prima zona del parco a essere isolata dal resto della comunità, cosa che ha provocato qualche contestazione da parte dei manifestanti di inclinazioni più egualitarie, ma l'esistenza di uno spazio dedicato alla cura e al sostegno della salute della comunità è diventata un elemento fondamentale dell'occupazione di Liberty Park.

Il 23 settembre l'équipe medica ha diffuso una richiesta di dottori in tutta la nazione ed è arrivata un'ondata di personale medico qualificato per dare una mano. Fra quelli che hanno risposto c'erano Ed Mortimer, che è diventato la persona di riferimento per gli interventi relativi a droghe e alcol, e Frank White, uno specialista di salute mentale. Hanno detto di essersi sentiti motivati dall'ampio sostegno ricevuto dall'équipe medica. Avevano l'assistenza costante di medici autorizzati e infermieri, alcuni dei quali avevano preso giorni di ferie per potersi assentare dal lavoro in strutture come il Woodhull Hospital, e che potevano firmare le ricette, stando direttamente nel parco. "Tutti operano nel rispetto delle loro qualifiche," ha spiegato Miriam Rocek, anche lei parte dell'équipe medica.

Nei cortei e nelle azioni dirette, i medici hanno un ruolo diverso da quello dei manifestanti: devono rimanere neutrali. Anche se la tenda medica ha uno striscione che chiede l'assistenza medica gratuita per tutti, perché, come dice Pauly, "questa è la nostra richiesta", quando i medici esibiscono la croce rossa o rosso-nera che li distingue dai manifestanti, si assumono la responsabilità di fornire assistenza immediata a chiunque ne abbia bisogno, che si tratti di un manifestante, di un agente o di un passante qualsiasi. Possono anche fungere da osservatori neutrali dell'azione: Ed mi ha detto che, forte della sua condizione di medico, quando si sono verificati gli arresti di massa sul Ponte di Brooklyn, ha potuto superare il primo cordone di polizia per osservare da vicino le detenzioni e assicurarsi che i manifestanti non subissero violenze.

Verso le 23.30 della notte di lunedì 10 ottobre, un luogotenente di polizia ha svegliato bruscamente Ed Mortimer che dormiva proprio accanto alla tenda medica: la polizia si era mossa per confiscarla. All'avvicinarsi dei poliziotti, medici e manifestanti hanno formato una catena umana intorno a quell'area. A braccetto con i suoi compagni, Ed ha visto alla sua sinistra Jesse Jackson che attraversava un'aiuola per unirsi a loro. Jackson si è inserito nella catena dicendo: "Non sono in visita, sono qui a occupare". Vista la determinazione del movimento in difesa della sua struttura medica, la polizia si è ritirata.

I dottori sono stati fondamentali per curare le ferite dovute alla brutalità della polizia. I medici di strada hanno sviluppato una cura efficace per lo spray urticante: antiacido diluito in acqua, che ha salvato la vista a più di una persona. Un medico ha raccontato di aver curato un manifestante travolto dal panico della folla per l'uso dei gas lacrimogeni da parte degli agenti, un altro di aver ricucito le ferite riportate da chi era stato colpito dalle manganellate.

Insieme all'ipotermia e al cosiddetto "piede da trincea", uno dei problemi tipici che l'équipe medica ha dovuto affrontare nel parco è stato quello della salute mentale. Breanna ha descritto nei particolari il crollo psichico di un uomo: non dormiva da giorni a causa del suono delle percussioni, e pensava che una mano carezzevole lo stesse uccidendo rubandogli l'energia rimanente. L'équipe medica lo ha confortato e alla fine è riuscita a farlo addormentare: quell'uomo poi si è integrato nella comunità ed è diventato membro della commissione sostenibilità. Come ha spiegato Pauly a un giornalista: "Il disagio di dormire sul selciato e la privazione del sonno possono portare a problemi di salute".

Non tutte le difficoltà di salute mentale e di dipendenza cui ha dovuto far fronte l'équipe medica erano prodotte dall'occupazione stessa. Come mi ha detto Frank, i manifestanti "combattono contro un sistema che li ha massacrati per tutta la vita, e questo può portare a disturbi di ordine emotivo". Per molti aspetti, l'équipe medica si trovava a rimettere insieme i cocci lasciati dai guasti della società e del sistema sanitario.

Molti manifestanti a Zuccotti Park vedevano la presenza di un'assistenza sanitaria gratuita e aperta come un sostegno vivente alle loro posizioni politiche: il fatto di fornire un servizio totalmente assente nella società in generale era un implicito atto d'accusa del capitalismo e dell'assistenza sanitaria commerciale. "Vediamo un sacco di persone," ha detto Maria Fehling, infermiera di National Nurses United, "che non hanno potuto far ricorso all'assistenza sanitaria per cinque, sei anni, perché non hanno nessuna assicurazione."

Quando la polizia ha sgomberato l'accampamento nelle prime ore del 15 novembre, ha confiscato una grande quantità delle risorse che l'équipe medica aveva raccolto nel corso dell'occupazione, e i medici si sono ritrovati al punto di partenza, con soltanto le poche cose che potevano portare con sé. Hanno tentato di recuperare quello che potevano, ma la polizia aveva distrutto due defibrillatori e ogni altra apparecchiatura che potesse essere fatta a pezzi. Ciononostante, i medici continuano a evolvere con il movimento, sempre impegnati a fondo. "Ho freddo, sono tutto bagnato e invisibile," ha detto Ed, "ma è il momento migliore della mia vita."

Difesa dell'occupazione

> Non riuscirete a dormire un granché stanotte, ragazzi. Staremo a pulire tutta notte... abbiamo bisogno di altro caffè.
>
> *Un occupante armato di scopa a Zuccotti Park*

La sera del 12 ottobre 2011 Zuccotti Park ha ricevuto una visita inattesa. Il sindaco Michael Bloomberg, che due giorni prima aveva dichiarato che non avrebbe fatto sgomberare Occupy Wall Street finché non avesse violato le leggi, è arrivato al parco, ha stretto le mani degli occupanti e ha dichiarato che avrebbe mediato il loro diritto di riunirsi, garantito dal Primo emendamento, con i diritti degli altri abitanti di New York e della Brookfield Properties, proprietaria del parco.

Il mattino successivo, l'atteggiamento sembrava cambiato. Subito dopo le 8 del 13 ottobre una fila di poliziotti, armati di pacchi di fogli, è entrata a Zuccotti Park e ha distribuito un avviso della Brookfield Properties in cui si annunciavano una pulizia del parco, programmata per le 7 del mattino del giorno successivo, il 14 ottobre, e un nuovo regolamento, che proibiva espressamente l'uso di teloni e di sacchi a pelo, oltre alle tende. L'avviso inoltre precisava che era vietato "sdraiarsi a terra, o sdraiarsi sulle panchine, nelle aree di soggiorno o sui passaggi in modo che interferisca con l'uso delle panchine, delle aree di soggiorno o dei passaggi da parte di altri". Il segnale era chiaro: l'occupazione veniva dichiarata illegale. Dopo aver letto l'avviso, Mesiah Burciaga-Hameed, un'occupante, ha detto subito che lo considerava "un pretesto per lo sgombero". Betsy Fagin, fra i fondatori della biblioteca popolare, ha raccontato che molti hanno avuto lo stesso sospetto: "Lo sapevamo, perché ci eravamo coordinati con tutte le altre occupazioni. A Austin c'era stato uno sgombero lo stesso giorno, esattamente con la stessa lettera. Perciò sapevamo che avrebbero tentato di venire a buttarci fuori".

Non appena la notizia è circolata per il parco, ne sono nate discussioni animate. Si è formata una improvvisata "riunione popolare", una riunione basata sul consenso simile all'assemblea generale, ma senza l'organizzazione formale di quest'ultima e senza facilitatori, e dopo un dibattito appassionato è stato raggiunto il consenso su una strategia semplice. Se la proprietà era preoccupata per la sporcizia nel parco, gli occupanti lo avrebbero ripulito da soli.

Ma che cosa avrebbe comportato? Secondo Andrew, membro del gruppo di lavoro per i servizi igienici, una priorità era spostare e "concentrare" tutti gli effetti personali degli occupanti. Ma l'impresa si dimostrava irta di difficoltà. Dove si sarebbero dovute spostare tutte le cose, in un magazzino? Gli occupanti le avrebbero portate via dal parco personalmente? Inoltre, tutti gli occupanti avrebbero accolto la richiesta di pulire il parco, o qualcuno si sarebbe opposto? A mezzogiorno, dice Andrew, le preoccupazioni iniziali sono state dissipate: gli occupanti si sono dedicati a quel compito e al gruppo dei servizi igienici sono arrivate richieste di sacchi di plastica trasparenti, cinquanta scope, due dozzine di spazzoloni. Le richieste per la pulizia hanno rapidamente superato le disponibilità del gruppo, che aveva solo un bidone della spazzatura pieno di scope, forse una decina.

Mentre arrivavano le richieste, altri occupanti si sono dedicati al compito di informare e radunare i sostenitori del movimento sia all'interno del parco sia fuori. Dentro Zuccotti Park, quando si è diffusa la notizia della decisione degli occupanti di ripulire da soli il parco, l'entusiasmo si mescolava a un senso generale di timore che lo sgombero fosse imminente. Nel pomeriggio il gruppo di lavoro per i servizi igienici è riuscito a procurarsi un numero sufficiente di scope e spazzoloni per soddisfare le richieste ricevute e gli occupanti hanno formato quello che Andrew chiamava un "esercito della nettezza". La squadra delle pulizie ha continuato a impacchettare gli effetti personali di tutti e, verso sera, ha cominciato a spazzare il parco in lungo e in largo, pulendo i passaggi in granito in ondate successive.

Vari gruppi di lavoro avevano cominciato a contattare i sostenitori del movimento nella comunità cittadina, in vista dello scontro previsto per il mattino successivo. Sono stati diffusi via internet appelli perché chiunque potesse raggiungere il parco andasse a dare il proprio contributo all'immane opera di pulizia. La commissione per i rapporti con i sindacati ha sollecitato un'intensa dimostrazione di solidarietà da parte dei sindacati di New York, contattando i dipendenti dei parchi, gli operatori della nettezza urbana e i custodi, in particolare perché contribuissero alla "pulizia". Cosa particolarmente significativa, molti dei sindacati cittadini, fra cui Communications Workers of America, United Auto Workers e la sezione 1199 della Service Employees International Union si sono impegnati a inviare i loro membri alle 6 del mattino del 14, un'ora prima della pulizia programmata, e anche la United Federation of Teachers ha promesso che alcuni suoi membri si sarebbero presentati per solidarietà. L'Afl-Cio di New York, evento senza precedenti, ha spedito un messaggio urgente di posta elettronica, il cui oggetto era "Go to Wall Street. NOW". I sindacati davano il loro sostegno anche dietro le quinte, secondo Maida Rosenstein, presidente della sezione 2110 dell'Uaw: "Molti telefonavano al sindaco, e chiamavano i funzionari eletti dicendo loro di chiamare Bloomberg. Facevano valere la loro influenza sui funzionari eletti".

Anche il gruppo di lavoro per le questioni legali ha rapidamente messo in moto la sua rete, chiedendo a "tutti i sostenitori disponibili" nei singoli gruppi della comunità di presentarsi alle 6 del mattino. Il gruppo ha condotto un'analisi approfondita del contenuto della notifica della Brookfield Properties. Armata dei risultati della loro indagine e con una strategia ufficiale perfezionata dal gruppo di lavoro per i servizi igienici, la National Lawyers' Guild ha preparato una lettera, diretta alla Brookfield Properties e al sindaco Bloomberg, in cui denunciava la violazione dei diritti garantiti dal Primo emendamento e ammoniva che sarebbe stata necessaria una "autorizzazione preventiva del tribunale" per intraprendere un'azione di polizia.

Mentre membri della comunità, studenti e sindacati organizzati si preparavano a raggiungere Zuccotti Park nelle prime ore del mattino seguente, l'"esercito della nettezza" ha continuato a lavorare per tutta la notte. Benjamin Shepard, attivista di Ows, è giunto al parco a tarda sera, sperando di poter riposare un po' prima del confronto del mattino. Al suo arrivo, però, ha trovato la piazza piena di occupanti e sostenitori. Molti di quelli che si erano dedicati alla pulizia si erano già rassegnati a una lunga nottata, e fra loro un uomo di una certa età, che, con una scopa in una mano e una tazza di caffè nell'altra, ammoniva esplicitamente: "Non riuscirete a dormire un granché stanotte, ragazzi. Staremo a pulire tutta notte... abbiamo bisogno di altro caffè". Lo spirito solitamente allegro dell'accampamento brillava per la sua assenza. Aveva anche cominciato a piovere. All'inizio era solo una pioggerellina, abbastanza leggera perché Ben, trovato un posto per dormire poco dopo mezzanotte, riuscisse a stendere un telone e dei fogli e ad assopirsi per un po'. Subito dopo l'1 di notte, però, la pioggerella, diventata un diluvio, penetrava sotto il telone, andava a formare una pozza, fluiva sulla superficie di granito e gli inzuppava tutti i vestiti. Alle 2, Ben si era rifugiato con alcuni amici al Blarney Stone, un pub nelle vicinanze di cui era diventato un frequentatore.

Intanto, ondate di manifestanti armati di scopa continuavano a spazzare il parco, mentre altri, come Amina Malika e la sua amica Mesiah, faticosamente fregavano la superficie del parco, in ginocchio, ripassando continuamente su punti che erano già stati resi immacolati parecchie passate prima. Gli occupanti temevano che, se non fosse stato tutto più che lindo, le autorità municipali l'avrebbero utilizzato come pretesto per giustificare un loro intervento di pulizia, per non parlare di uno sgombero. Il parco era spazzato da un vento forte, così che la pioggia inzuppava tutto e tutti: una seccatura per chi tentava di dormi-

re, ma il tempo era alleato di chi si era dedicato alle pulizie. Zuccotti Park è in pendenza, e la pioggia che si river-
sava sul parco e veniva spinta trasversalmente dal vento
fluiva poi verso il basso e all'esterno, contribuendo a spazzare e ripulire il parco. Mentre la pioggia scendeva a cati-
nelle e rimbombavano i tuoni, Amina e Mesiah, con le ver-
tigini per la stanchezza, se ne rallegravano insieme agli altri impegnati nella pulizia: qualcuno si è tolto la maglietta,
al tempo stesso sfidando e festeggiando il temporale.

Alla biblioteca popolare il clima era frenetico e tutt'altro che festoso. Durante la giornata i bibliotecari avevano
spostato la metà dei circa cinquemila libri della biblioteca
in un vicino deposito messo a disposizione dalla United
Federation of Teachers; l'altra metà era stata messa in bidoni di plastica, avvolti nei teloni in vista della pioggia, appoggiati sulle panchine del parco in modo che la squadra
delle pulizie potesse spazzare al di sotto. "Avevamo intenzione di lasciare [il resto della biblioteca] lì e ci dicevamo,
ehi, è importante, fa parte dell'occupazione, resta qui," ricorda Jaime, uno dei bibliotecari. Ma alle 2 di notte, mentre erano ancora in corso le pulizie nel parco e la pioggia
andava intensificandosi, i programmi improvvisamente sono cambiati. Jaime era riuscito a dormire solo un paio d'ore
quando è stato svegliato dal telefono: "Ricevo questi sms di
un paio di bibliotecari nel panico, del tipo 'Oh mio Dio,
quelli dei servizi igienici ci dicono che dobbiamo spostare
la biblioteca adesso! Deve andarsene!'" ricorda Jaime. "E
noi che eravamo a casa a chiederci 'Dove deve andare? Il
deposito è chiuso da cinque ore. Non possiamo portare tutto lì. Ma di che cosa state parlando?'" I bibliotecari che si
trovavano al parco hanno preso una decisione al volo: i libri sarebbero andati nel New Jersey. Uno dei manifestanti
aveva un amico là, con un posto adatto. Un altro aveva una
macchina. E così, nella frenesia di pulire Zuccotti Park, metà dei contenuti della biblioteca popolare è stata trasbor-
data sull'altra sponda dell'Hudson.

Poco prima delle 4 del mattino, la pioggia è diminuita e
i lavori di pulizia hanno cominciato a rallentare. Hanno iniziato ad arrivare i sostenitori del movimento, la prima di

varie ondate che alla fine avrebbero fatto lievitare la popolazione del parco a circa tremila persone. Man mano che schiere di gente andavano a riempire Zuccotti Park, la sfida era riuscire a mantenere tutto lindo e pulito. Qualsiasi imperfezione nell'aspetto del parco, temevano gli occupanti, avrebbe potuto essere un pretesto sufficiente per la Brookfield e Bloomberg. C'era preoccupazione soprattutto per le aiuole sparse per il parco: bisognava fare in modo che non venissero calpestate. Si sentivano continui richiami "Attenti ai fiori!" quando qualcuno cercava di aggirare i capannelli di persone passando in mezzo alle aiuole. Un fotoreporter ha tentato una manovra del genere ma ha trovato sulla sua strada Kat Mahaney che gli ha messo una mano davanti all'obiettivo e gli ha impedito di scattare foto fino a che non avesse smesso di calpestare i fiori. Ted Hall, uno dei membri più visibili dell'accampamento di Occupy, stava in piedi sul bordo di un vaso al centro del parco, e usava il microfono umano per esortare tutti i presenti. Uno degli occupanti, KV, racconta di una sensazione di "elettricità nell'aria" che si andava diffondendo con il crescere del numero dei presenti. L'eccitazione si è intensificata quando è arrivato un contingente di qualche centinaio di persone: "The unions are here to back us up! THE UNIONS ARE HERE TO BACK U.S. UP" [I sindacati sono qui per sostenerci! I SINDACATI SONO QUI PER FAR FARE MARCIA INDIETRO AGLI U.S.!] urlava qualcuno attraverso il microfono umano in un rumoroso festeggiamento. Alle 5 del mattino un gruppo vicino a Broadway aveva cominciato a intonare: "Le strade di chi? Le nostre strade!" e gli occupanti hanno iniziato a svegliare tutti quelli che ancora dormivano, dando loro poco meno di due ore per prepararsi allo scontro previsto. La tensione saliva, alzandosi un po' a ogni "Mic Check! MIC CHECK!".

Poco dopo le 6, l'ora per cui gli occupanti avevano convocato i sostenitori, una donna appollaiata su uno dei muretti di marmo ai bordi del parco ha chiesto una nuova "prova microfono" e ha informato tutte le persone convenute, utilizzando come amplificatore le loro voci, che c'era un piano per tenere la piazza, e chi non faceva parte del piano, quelli a cui non erano stati assegnati un posto e una fila in cui sedere e disobbedire a un ordine della polizia di andarsene, erano benvenuti se decidevano di rimanere, ma avrebbero corso il rischio di essere arrestati. Quelli che non volevano essere arrestati erano invitati, aggiungeva la donna, ad attraversare la strada e a continuare a dare il loro sostegno dal marciapiede opposto al parco. "Ondate di persone hanno ripetuto l'invito del gruppo di lavoro per l'azione diretta a unirsi a loro intrecciando le braccia per tenere la piazza," ricorda Marina Sitrin. "La risposta è stata un applauso sonoro. Non ci sono stati discussione, dibattito o esitazione. Le persone hanno dimostrato il loro accordo con urla, fischi e facendo ondeggiare le dita in aria, ma anche con tutto il corpo." C'è stato il lampo di qualche flash dei fotografi della stampa, mentre in cielo si scorgevano le prime luci dell'alba.

Poi, dopo le 6.30, solo pochi minuti prima del previsto inizio della pulizia della piazza, è partita un'altra "prova microfono": "Vorrei leggere un breve comunicato! VORREI LEGGERE UN BREVE COMUNICATO! Del vicesindaco Holloway! DEL VICESINDACO HOLLOWAY! Abbiamo ricevuto comunicazione dalla proprietà di Zuccotti Park! ABBIAMO RICEVUTO COMUNICAZIONE DALLA PROPRIETÀ DI ZUCCOTTI PARK! La Brookfield Properties ha rinviato la pulizia!". Al che il microfono umano si è rotto in urla di gioia, riecheggiate fra le migliaia di persone riunite, diffondendo la notizia senza bisogno di ripetere le parole: l'occupazione era stata salvata. Per tutto il parco c'è stata un'esplosione di urla, risate, abbracci e suoni di tamburi giubilanti. I display degli smartphone si sono accesi e molti presenti nella piazza hanno cominciato a inviare la notizia ai loro Twitter e Facebook, e una banda ha cominciato a suonare vicino alla scultura *Joie de vivre* nell'angolo sud-est del parco. I canti si sono rapidamente diffusi tra la folla: "Siamo il 99 per cento!" e "Possiamo cambiare il corso della storia", ripetuti come un'eco dal microfono umano, che a questo punto aveva una profondità di cinque onde. "Possiamo difendere questa piazza dall'oppressione!"

***

Una volta chiaro che il parco era al sicuro, per la folla hanno cominciato a circolare, attraverso il microfono umano, inviti ad azioni ulteriori. Sono stati presi in considerazione due cortei: uno verso Wall Street, con l'intento di occupare finalmente lo stesso distretto finanziario, l'altro verso City Hall, per ringraziare il sindaco Bloomberg per aver bloccato lo sgombero, ma anche per "Fargli vedere come è fatta la democrazia!". Nel giro di qualche minuto la folla ha cominciato a spingere verso l'angolo nord-est di Zuccotti Park e le colonne di entrambi i cortei hanno iniziato a formarsi intorno alle transenne metalliche della polizia che ancora delimitavano i marciapiedi intorno al parco. I manifestanti danzavano e intonavano: "Siamo il 99 per cento!" mentre si riversavano sul marciapiede della Broadway, accompagnati dal ritmo costante dei percussionisti, ormai diventato il simbolo del cuore dell'occupazione. L'aver evitato lo sgombero aveva infuso un rinnovato senso di forza e di fiducia. In quel momento, come non era mai accaduto prima per tutto il mese circa di presenza del movimento Ows a Lower Manhattan, sembrava possibile organizzare con successo un corteo nel cuore di Wall Street. Un contingente di dimostranti ha cominciato a dirigersi a sud sulla Broadway verso Wall Street, molti con ancora in mano le scope che avevano usato per ripulire il parco ore prima. Il corteo era accompagnato da quel sentimento festoso che aveva conquistato il parco, e la sua spontaneità ha apparentemente colto la polizia di sorpresa.

Dapprima gli agenti hanno tentato di contenere i manifestanti sui marciapiedi, ma senza riuscire a gestire la situazione, sottolineata dalla domanda che il coro poneva a chiunque volesse sentire: "Le strade di chi?", con la sua risposta tonante: "Le nostre strade!". Dopo poco, però, una fila di motociclette della polizia si è disposta a v dietro un segmento del corteo, nel tentativo di spingere via i manifestanti dalla carreggiata. Verso il fondo del corteo la maggior parte degli occupanti ha opposto resistenza pacifica, mentre in testa il ritmo dei tamburi accompagnava i dimostranti che saltavano le barriere della polizia per accedere alle vie adiacenti alla Borsa. La polizia è andata incontro al fronte avanzato dei manifestanti con la forza, arrestando parecchi dimostranti e ferendone molti altri. Alcuni hanno continuato ad avanzare, serpeggiando fra le vie di Manhattan, sempre inseguiti dalla polizia, a sirene spiegate. La confusione è andata crescendo, man mano che il corteo si frammentava a ogni scontro con la polizia. Le telefonate e gli sms, scambiati da amici che si erano trovati separati nel tumulto, ritraevano una scena caotica: scontri vicino a Bowling Green, inversioni di marcia, arresti vicino a Exchange Place.

Il corteo si è diretto a ovest verso South Street Seaport, dove poliziotti di grado più elevato, in camicia bianca, hanno tirato fuori i manganelli per bloccare i dimostranti. Quando il gruppo ha deviato a est su Maiden Lane e Pearl Street, tutti hanno cominciato a correre lungo la strada, dove la polizia aveva spinto gli attivisti sulla carreggiata prima di arrestare una ragazza. "Qui la situazione scotta," ha notato un uomo con i tamburi in mano, quando le ali del corteo si sono sovrapposte. "Siamo stati a suonare i tamburi sulle auto. Qui è proprio una sommossa." Ci sono stati numerosi arresti mentre il corteo continuava a sciamare per le strade, e si sono registrati parecchi casi di abuso di forza da parte della polizia: un agente in moto è passato sopra la gamba di un dimostrante; Felix Rivera-Pitre, leader di Vocalny, ha ricevuto un pugno in faccia. Alla fine il corteo è tornato verso Zuccotti Park, dopo che uno dei dimostranti aveva urlato: "Torniamo alla piazza! Stanno prendendo la piazza!".

Il timore che la polizia potesse conquistare Zuccotti Park è serpeggiato anche nel secondo corteo, diretto a nord verso City Hall. Questo corteo era meno aggressivo di quello verso Wall Street, i dimostranti stavano per lo più sui marciapiedi e seguivano la strada segnata dagli agenti, disposta lungo Broadway per impedire ai manifestanti di scendere in strada. Risuonava lo slogan "Siamo il 99 per cento!", inframmezzato dai botta e risposta "Fammi vedere come è fatta la democrazia! Così è fatta la democrazia!" e "Come ri-

mediamo a questo deficit? Basta guerra! Tassiamo i ricchi!".
Quando il corteo era vicino ai cancelli di City Hall Park, dove aspettavano i mezzi dei poliziotti in tenuta antisommossa, lo spirito festoso era ormai moderato. I poliziotti avevano avuto l'ordine di impedire al corteo l'ingresso al complesso di City Hall, ma nessuno ha tentato di entrare e così sono rimasti semplicemente a guardare mentre il corteo passava oltre. La permanenza del corteo a City Hall è stata di breve durata, perché si è sparsa la voce che, durante l'assenza dei dimostranti, la polizia stava prendendo Zuccotti Park. Preoccupati, i dimostranti hanno cominciato a tornare indietro lungo Broadway a passo spedito, cercando di trovare un equilibrio fra il desiderio di tornare rapidamente al parco e la necessità di mantenere la coesione. Durante il ritorno, Alex Gomez-del-Moral, uno dei molti arrivati a Zuccotti Park fra le 5 e le 6 del mattino, era impegnato in un'intervista telefonica con una stazione radiofonica di Toronto e raccontava in diretta l'andamento del corteo. Quando la colonna di manifestanti è entrata nell'area attorno a Liberty Plaza, come molti altri vicino a lui, ha tirato un sospiro di sollievo, poi ha raccontato quello che vedeva: le uniche persone a Zuccotti Park erano gli occupanti, fradici e stanchi, ma rinfrancati dal successo della notte passata in difesa del parco.

A mattino inoltrato, quando chi aveva marciato verso City Hall e Wall Street era ritornato, nel parco è calata un'atmosfera di normalità esausta. Qualcuno se ne è andato alla ricerca di un meritato caffè o di una colazione. Altri hanno tentato di dormire. Altri ancora hanno cominciato a discutere, e presto il suono delle conversazioni e la pulsazione costante delle percussioni hanno riempito di nuovo l'aria umida del mattino a Zuccotti Park.

POccupy
Anche People of Color occupa Wall Street!

> Lo scopo di People of Color (Poc) è rendere
> questi attivisti progressisti bianchi e il mo-
> vimento consapevoli, far loro comprendere
> che, non perché adesso navigano in cattive
> acque e sentono puzza di bruciato questo
> vuol dire che la gente al mondo non si sia ri-
> voltata per decenni, per secoli.
>
> *Jodi, membro del gruppo di lavoro People of*
> *Color (Poc)*

Il movimento era bello. Era il crepuscolo del 23 settembre e le luci sulla pavimentazione in marmo tremolavano
al defluire continuo della folla. Una donna nera sola e in
abito scuro scendeva circospetta le scale. Era il suo primo
giorno a Zuccotti Park e scrutava la scena. Guardava a destra e a sinistra in direzione della "grande Cosa rossa", nome con cui gli occupanti avevano ribattezzato la scultura
Joie de vivre. La donna sembrava interessata alle conversazioni che si svolgevano attorno a lei ma, non conoscendo
nessuno, era rimasta in silenziosa e imbarazzata attesa fin
quando l'assemblea generale non era cominciata.

Jamie, membro del gruppo di lavoro People of Color, letteralmente "gente di colore", che si descrive come "una donna di colore del 99 per cento", si era unita per la prima volta a Occupy Wall Street il 15 ottobre, il National Day of Action. "Sono venuta da sola," ha spiegato, "perché nessun altro voleva venirci. Neanche uno dei miei amici era interessato e ho pensato: fottetevi, vado a dare un'occhiata... Mi
piaceva quella energia... Ma qualcuno ha cominciato a notare che la maggioranza dell'assemblea generale era composta da maschi bianchi, il massimo del privilegio possibile nell'attuale struttura sociale. Molte delle persone che fanno parte del 99 per cento guardano con interesse ai temi
trattati dal movimento – temi che incidono sulla loro esistenza quotidiana. Eppure non sono presenti a Zuccotti

Park perché si sentono emarginate, perché sentono che la loro voce non è ascoltata o perché hanno vissuto esperienze razziste." Jodi, che ha iniziato a frequentare Zuccotti Park il 17 settembre, primo giorno dell'occupazione, ha potuto testimoniare l'evoluzione di questa iniziale mancanza di rappresentanza. "Nelle prime due settimane passavo di tanto in tanto da quelle parti, e di persone di colore neanche l'ombra," ha detto. "Era inquietante. Poi, d'improvviso, un'esplosione e la presenza è diventata molto più consistente. Credo che sarebbe stato ridicolo se quella situazione si fosse protratta mentre il movimento si pone come il rappresentante del 99 per cento." La sua opinione è condivisa da molti occupanti, manifestanti, organizzatori, attivisti comunitari e media del movimento che auspicano una presenza ancora maggiore di gente di colore e di membri delle comunità emarginate.

Così, il 1° ottobre, mentre quella sensazione di alienazione cresceva, durante l'assemblea generale una donna si è alzata e ha proposto un gruppo di lavoro intitolato alla gente di colore, un gruppo di lavoro chiamato People of Color, chiedendo a chiunque fosse interessato di "farsi trovare alla Cosa rossa... Adesso". Nonostante avesse discusso l'idea con molti alleati bianchi e con gente di colore, questo membro fondatore del Poc all'inizio ha dovuto vincere l'indifferenza di due bianchi per mettere la proposta in agenda. "Occupy Wall Street non era lo spazio diverso e protetto che proclamava di essere," ha detto in seguito. "Non mi aspettavo il contrario. Il movimento è nato in una società radicalmente ostile e per iniziativa di individui pericolosamente inclini a una logica di neutralità razziale."

Cinque persone, bianche e di colore, si sono presentate al primo incontro e si sono scambiate gli indirizzi e-mail. Nel secondo incontro il gruppo contava una ventina di membri e al terzo un centinaio di persone di diversi colori sedeva in circolo alle spalle della Cosa rossa e, grazie al consenso generale, il gruppo era diventato un luogo accogliente per qualunque persona che si identificava con la definizione di persona di colore. Lanciato il 1° ottobre 2011, l'appello del Poc alla gente di colore – il primo documento del gruppo approvato all'unanimità – diceva:

Per tutti coloro che vogliono sostenere l'occupazione di Wall Street, che vogliono lottare per una società più giusta ed equa, ma che si sentono esclusi dalla campagna, questo messaggio è per voi. Per tutti coloro che credono che la loro voce non sia ascoltata, che si sono sentiti a disagio o inadatti a partecipare alla campagna, che sentono sia stato loro imposto il silenzio, questo messaggio è per voi. Per tutti coloro che non si sono interessati a Occupy Wall Street ma che sanno che un radicale cambiamento sociale è necessario, per tutti coloro che hanno pensato di unirsi alla protesta ma che non sanno da dove o come cominciare, questo messaggio è per voi. Non siete soli. Le persone che hanno costituito il gruppo di lavoro People of Color si sono riunite perché condividono quelle sensazioni e ritengono che l'opportunità di elevare le coscienze offerta da Occupy Wall Street sia imperdibile. È arrivato il momento di portare avanti in modo deciso l'espansione e la diversificazione di Ows. Se questo vuole davvero essere il movimento del 99 per cento avrà bisogno del resto della città e del resto del paese.
Diciamo la verità. La crisi economica non è cominciata con il tracollo di Lehman Brothers nel 2008. La gente di colore e la povera gente in realtà sono in stato di crisi fin dalla fondazione di questa nazione e le comunità indigene anche da prima. Sappiamo da tempo che il capitalismo serve unicamente gli interessi di una modesta minoranza composta in grande parte da bianchi.
Le persone di colore sanno da sempre che ogni qualvolta le "necessità" economiche richiedono misure di austerità ed è chiesto di stringere la cinghia, noi siamo i primi a perdere il lavoro, le scuole frequentate dai nostri figli sono le prime a vedersi tagliare i finanziamenti e i nostri corpi sono i primi a essere brutalizzati e imprigionati. Solo noi possiamo dire questa verità al potere. Non dobbiamo perdere l'occasione in questo scontro di mettere in prima linea le necessità della gente di colore sulle cui spalle questo paese è stato costruito.
Il gruppo di lavoro People of Color nasce per favorire un movimento inclusivo di consapevolezza razziale. Ci rivolgiamo alle comunità di colore e a lavoratori immigrati senza documenti e a basso reddito, a carcerati, persone lesbiche, gay, bi-

sessuali e transgender (Lgbt) di colore, a comunità religiose emarginate come quella musulmana, e ai nativi americani, persone per le quali questa occupazione è conseguenza di un'altra occupazione e che hanno dunque la necessità di essere decolonizzati. Sappiamo che molti individui hanno responsabilità che non consentono loro di partecipare all'occupazione e che la pesante presenza poliziesca a Liberty Park agisce indubbiamente per molti da deterrente. Lo sappiamo perché siamo alcuni di questi individui. Ma questo movimento non è confinato a Liberty Park: con il vostro aiuto il movimento diventerà accessibile a tutti.

Se non accadrà non avrà successo. Nell'ignorare le dinamiche di potere e privilegio, questo movimento sociale monumentale rischia di replicare le strutture stesse dell'ingiustizia che cerca di eliminare. Lavoriamo dunque attivamente a unire le diverse voci di tutte le comunità in modo che sia chiara la posta in gioco e chiediamo che un movimento che si propone l'eliminazione dell'ingiustizia economica abbia al proprio centro un'onesta lotta per l'eliminazione del razzismo.

Il gruppo di lavoro People of Color non nasce per dividere ma per unire. La nostra speranza è che noi, il 99 per cento, possiamo progredire insieme criticamente consapevoli che avidità, corruzione e diseguaglianza, caratteristiche innate del capitalismo, minacciano le vite di tutte le popolazioni della Terra.

Come ha spiegato Razzle, uno dei suoi membri, "il gruppo di lavoro People of Color è nato per aiutare a unificare nel movimento le differenti comunità che soffrono in modi diversi la diseguaglianza economica, con la piena consapevolezza che il processo di unificazione richieda quello che è mancato fin qui al movimento: una più ampia partecipazione, una prospettiva, una leadership della gente di colore e un esplicito impegno alla giustizia razziale". In modo non dissimile, Jodi affermava che "lo scopo di People of Color è rendere questi attivisti progressisti bianchi e il movimento consapevoli, far loro comprendere che, non perché adesso navigano in cattive acque e sentono puzza di bruciato questo vuol dire che la gente al mondo non si sia rivoltata per decenni, per secoli". Secondo Jamie, "uno degli obiettivi principali di Poc è fare in modo che la gente di colore sia rappresentata in ogni singolo gruppo di lavoro, in particolare nell'assemblea generale e tra leader e persone che prendono decisioni... Il gruppo di lavoro Poc è nato dalla necessità di varare misure di protezione e come modalità di rappresentazione delle vere questioni in gioco".

Il Poc ha ritenuto che il modo migliore di ottenere questi obiettivi fosse imporsi all'interno di Ows come *caucus* – termine con cui, tra le altre cose, si definisce negli Stati Uniti un raggruppamento di eletti che si uniscono sulla base di affinità o etnicità comuni, generalmente per influenzare le scelte politiche. Un caucus, auspicavano, che facesse crescere il movimento e abbracciasse tutte le voci emarginate. Si auguravano che questo caucus non fosse esclusivamente uno "spazio di sostegno e consolidamento della gente di colore all'interno del movimento ma uno strumento di proselitismo nella comunità nera oltre che una lente di giustizia razziale per la leadership del movimento". La costituzione di un caucus non aveva come obiettivo pratico quello di confinarsi all'interno di un gruppo ma semmai di offrire la possibilità a chi ne faceva parte di lavorare fianco a fianco con *altri* gruppi di lavoro. Il Poc tuttavia continuava a riunirsi come entità separata, facilitato in questo dalla sua struttura che consentiva di mantenere subcomitati affiliati a una estrema varietà di altri gruppi del movimento, gruppi, tra gli altri, che si occupavano di attività sul territorio, formazione, stampa, arte e cultura, promozione, accesso alla lingua, diritti degli immigrati, sicurezza, cura infantile, solidarietà carceraria, brutalità poliziesca, lavoro, rapporti con gli studenti, finanza, internet. I subcomitati del Poc rafforzati dalla struttura a caucus rappresentavano il Poc negli altri gruppi di Occupy Wall Street e organizzavano e ospitavano eventi, teach-in e azioni dirette. La struttura a caucus è rimasta attiva con il perfezionamento da parte dell'assemblea generale di New York degli spokescouncil, dove rappresentanti dei gruppi di lavoro coordinano eventi su grande scala mediante il consenso, senza una struttura formale di leadership.

Nel frattempo gruppi con obiettivi simili come Occupy the Hood sono emersi affiancando e collaborando con il

Poc – la crescita del gruppo è stata una manna per il movimento poiché ha facilitato l'adesione a Ows delle fasce più emarginate della città e la loro adesione all'assemblea generale. Eppure alcune delle preoccupazioni sollevate all'inizio del movimento sul tema della razza continuano a rappresentare un deterrente nei confronti della gente di colore che non ha aderito direttamente al movimento. Come se non bastasse, perfino persone di colore all'interno di Occupy Wall Street hanno continuato a subire espliciti atti razzisti e microaggressioni a carattere razziale.

Nel Columbus Day (ribattezzato il Giorno degli indigeni dal Poc), Mexica, gruppo culturale di performer messicani, ha cominciato a danzare davanti alla Cosa rossa. Muovendosi al ritmo delle percussioni, ballerini vestiti di bianco e rosso hanno ipnotizzato con il fremito dei grani delle cavigliere la folla di un centinaio di persone lì riunita. Il gruppo rappresentava danze e cerimonie sacre destinate a onorare la Madre Terra e gli antenati, trasmettendo energia agli edifici circostanti, augurandosi di infondere desiderio di giustizia e di pace negli astanti. Ma nonostante l'impegno profuso, alcuni membri del Poc intercettavano involontariamente le sarcastiche osservazioni sulla cerimonia provenienti dalla folla.

Non è stato un caso isolato. Fin dall'inizio gli aderenti al Poc avevano avuto modo di toccare con mano il rancore in piccoli alterchi scatenati da supposti privilegi e in veri e propri attacchi e violenze sessuali. Il risentimento non era limitato a quanto accadeva a Manhattan. L'8 ottobre, membri di Occupy Philadelphia avevano chiesto aiuto al Poc per quello che definivano "un blackout a Occupy Philadelphia," dove alcune donne di colore erano state oggetto di insulti razziali e costrette ad abbandonare il campo. Più tardi nel corso di quello stesso mese, membri di Occupy Boston avevano chiesto aiuto al Poc per integrare le assemblee generali separate in base a criteri razziali. E quando era stata inaugurata una assemblea generale a Brooklyn, il Poc era lì a sottolineare che gli organizzatori avevano commesso errori nel programmare gli incontri e nello scegliere gli spazi, fallendo in questo modo nel compito di raggiungere la maggioranza della comunità di colore. Mentre il dibattito sulla brutalità della polizia si surriscaldava, prima e dopo lo sgombero, attraverso il subcomitato di solidarietà carceraria, il Poc organizzava numerosi teach-in sul complesso industriale carcerario e sulla brutalità della polizia, condividendo e discutendo con l'intero movimento il modo in cui la gente di colore e le comunità di immigrati erano state e continuavano a essere presidiate e brutalizzate dallo stato. Alcuni rappresentanti del Poc avevano sollevato l'importante tema, a loro parere poco dibattuto, su chi potesse permettersi di farsi arrestare e chi no, sottolineando come la gente di colore, soprattutto maschi, fosse presa di mira dal sistema carcerario e dalla polizia.

È accaduto a inizio novembre che nel corso di alcuni spokescouncil, membri del Poc si sentissero mancare di rispetto e fossero messi a tacere a causa di rimostranze contro quelle che percepivano come dimostrazioni di privilegio, ignoranza e razzismo. Queste tensioni e questi problemi riflettono strutture di potere e livelli di oppressione esistenti in tutto il pianeta. Così come Ows opera per creare un mondo diverso, lo spokescouncil è stato pensato come strumento per la creazione di un mondo più giusto ed equo. Ma molti degli attivisti del Poc e dello spokescouncil hanno espresso seri dubbi a questo riguardo, sostenendo che il consiglio opera con poca trasparenza e scarsa apertura nei confronti delle critiche interne. Per questo alcuni membri del Poc sono impegnati a contrastarne e trasformarne la struttura. Lo scorso novembre sono stati organizzati almeno due workshop su oppressione e giustizia sociale, e il Poc ha proposto che fossero rivolti in particolare a iscritti provenienti dallo spokescouncil.

Mentre emergevano queste tensioni, il gruppo di lavoro discuteva in maniera costante della propria collocazione all'interno del movimento, della relazione con gli alleati bianchi e della partecipazione alle azioni dirette. In questo modo venivano alla luce le molte differenze all'interno del gruppo: sentendosi escluse e non rispettate, le donne e la comunità Lgbt e persone di colore provenienti da diversi contesti socioeconomici, educativi e religiosi manifestavano a loro volta il proprio disagio. In una comunità così ampia e diversificata, il nome "People of Color" racchiudeva grandi differenze dal momento che il privilegio agisce a diversi livelli, compresi, e non solo, la razza, la classe, il genere, la religione e i modelli sessuali. Caratteristiche in grado di dividere qualunque gruppo, anche con interessi e obiettivi comuni.

Nel suo cammino il Poc sente di dovere fare i conti con le divisioni interne cercando punti comuni tra diversi gruppi emarginati da una società patriarcale che crede nella supremazia della razza bianca. Qualcuno sostiene che riservare l'accesso al gruppo a coloro che si identificano nella definizione "gente di colore" sia troppo esclusivo e contribuisca ad acuire le divisioni, ma la maggioranza interna al gruppo desidera uno spazio in cui le persone appartenenti alle comunità emarginate possano ritrovarsi senza sentirsi oppresse, a disagio o intralciate da altre persone con privilegi di cui loro non godono. Come hanno ben chiaro i rappresentanti del Poc, di frequente i sistemi di dominio sono perpetuati in modo inconsapevole da membri di gruppi dominanti e quasi sempre si manifestano attraverso nozioni di diritti acquisiti e privilegi invisibili. Il gruppo organizza discussioni settimanali su come creare uno spazio che sia inclusivo e garantisca al contempo la sicurezza mentale, fisica e spirituale di tutti. Nel costruire attraverso una moltitudine di differenze, POCcupy continua a operare per raccogliere le persone in una comunità positiva e salda. Sebbene il dibattito prosegua, il Poc ha dato inizio a una offensiva concertata per una azione diretta positiva. Oltre a stabilire uno spazio protetto per il dialogo, ha pianificato teach-in su oppressione e razzismo, giornate curative, ha sostenuto il Council of Elders (un gruppo di leader di molti dei più importanti movimenti per la giustizia sociale americani del Ventesimo secolo) e organizzato training di giustizia razziale sia per i membri del gruppo sia per l'intero movimento. Ha inoltre appoggiato azioni dirette, volute dalle comunità di colore impegnate nell'opera di giustizia economica e sociale, tra cui Occupy the Hood, Occupy 477, Movement for Justice in El Barrio e l'Audre Lorde Project.

Uno degli eventi più pubblicizzati è stata un'azione intrapresa ad Harlem dal Poc insieme con Occupy 477. Il 6 novembre 2011, nel corso di una riunione del gruppo di lavoro, Semi, un simpatizzante del movimento, ha proposto al Poc di sostenere Occupy 477 Harlem, gruppo nato in difesa di un edificio storico abitato da inquilini a basso reddito al 477 West, sulla Quarantaduesima, a Sugar Hill, un distretto storico di Harlem. Benché l'edificio avesse origini nobili – vi aveva vissuto un tempo Alexander Hamilton – era senza riscaldamento e acqua calda dall'ottobre del 2010, quando, in un predatorio schema di prestito, gli studi legali Madison Park Inverstors ed E.R. Holdings avevano tentato di precludere il diritto ipotecario. Nel farlo si auguravano di vincere la resistenza delle associazioni di condomini, ristrutturare l'edificio e trasformare l'area in residenziale. Gli affittuari erano tra due fuochi. Il metodo attuato per liberarsi di loro è stato quello di interrompere l'erogazione del riscaldamento. Le due società hanno sabotato la caldaia e impedito ripetutamente a chiunque di andare a ripararla. In un'epoca di lotta ai pignoramenti e con l'avvicinarsi della stagione invernale, la notizia delle traversie degli inquilini ha rappresentato un traumatico promemoria delle tattiche sempre più violente utilizzate per trasformare Harlem in un quartiere residenziale e cacciare residenti che vivevano lì fin dagli anni settanta. I membri del Poc, in particolare quelli provenienti da Occupy the Hood, determinati a presentare una proposta all'assemblea generale e invitare il movimento a sostenere Occupy 477 nella richiesta di restituzione dell'edificio nelle condizioni di vivibilità, hanno incaricato un gruppo ad hoc di proporre una petizione, presentata all'assemblea generale qualche tempo dopo, in cui si chiedeva la fornitura di aiuti d'emergenza e di contributi agli occupanti.

Come sempre in caso di proposte all'assemblea, non sono mancati discussioni di punti controversi, domande e dubbi. I membri del Poc presenti si sono impegnati a fondo per andare incontro alle richieste e hanno accettato di buon grado gli emendamenti, uno dei quali chiedeva addirittura un aumento dei fondi. Molti dei dubbi sollevati all'assemblea riguardavano la presunta emergenza della proposta e i membri del Poc hanno dovuto ricordare ai presenti che Occupy 477 lottava per il diritto alla casa, per la propria abitazione, e che nel farlo si batteva contro le ingiuste strutture economiche che Ows era nata per contrastare.

Infine, l'assemblea generale ha trovato unanimità sulla proposta di sostenere Occupy 477 con uno stanziamento di tremila dollari, l'aiuto nella riattivazione della caldaia e l'assistenza agli occupanti nella lotta in difesa dell'edificio. Quella sera un grande senso di crescita si è diffuso tra i membri del Poc presenti all'assemblea generale, alcuni dei quali hanno sentito finalmente di avere voce in capitolo nel movimento. Mentre scriviamo gli occupanti sono ancora nell'edificio infondendo in questo modo grande forza alla comunità di Harlem e alla gente di colore che lotta per il diritto alla casa. La presenza a Liberty Park di Occupy 477 si è dimostrata utile e consistente, grazie all'organizzazione di teach-in e marce, e la regina onoraria di Harlem, Queen Mother, sostenitrice del movimento, è entrata a fare parte del Council of Elders.

Mentre il movimento cresce e conquista il sostegno dei gruppi attivi nel campo della giustizia sociale ed economica, i membri del Poc restano dediti al proprio ideale di rappresentanza di tutta la comunità di colore. Molti nel Poc e nel movimento in generale riflettono sulle parole di Angela Davis, che il 30 ottobre si è rivolta ai manifestanti nel corso dell'assemblea generale tenutasi a Square Park, a Washington, sostenendo la necessità di una diversa rappresentanza all'interno del movimento. Ha detto la Davis:

Le minoranze insieme formano la maggioranza [...]. Dobbiamo imparare a convivere in una unità complessa, una unità che non trascuri le differenze, una unità che consenta a coloro le cui voci sono state emarginate di parlare a nome dell'intera comunità. Sono sicura che con il trascorrere dei giorni e dei mesi impareremo di più su questo processo che adesso non possiamo più dire di non conoscere. È importante che questo movimento esprima la volontà della maggioranza fin dall'inizio, una maggioranza che non può prescindere da tutte le differenze che la compongono.

Sulle orme di Angela Davis, il Poc opera al fine di assicurare un equo coinvolgimento di tutti i gruppi emarginati dandosi come parametro una giustizia razziale che non perda di vista altri aspetti dell'identità (il genere, la classe, la sessualità, la religione, la lingua, la nazionalità e il talento individuale). Sarà dopo aver raggiunto questi obiettivi, come ci ricordano di continuo e in modo stridente i suoi membri, che Ows acquisirà il potere necessario per creare un mondo più giusto.

***

DICHIARAZIONE DEGLI AUTORI: Gli autori di questo capitolo, impegnati in una scrittura collettiva, sono tre membri attivi del Poc che intendono offrire una storia narrativa del gruppo di lavoro interno al movimento. Desideriamo fare valere le nostre voci e informare il lettore che questa è solo una parte delle tante storie e delle tanti voci del Poc. Esistono molte altre voci che non sono state incluse qui, voci che erano, e continuano a essere, fondamentali nella costruzione di Poccupy e del movimento. È nostro desiderio rendere merito a tutte le testimonianze non incluse e offrire trasparenza nella creazione di questo documento, la cui stesura ha richiesto un lungo lavoro di limatura. I tempi editoriali hanno impedito l'aggiunta di altre voci e, per questo, nello scrivere questo brano abbiamo scelto di non usare il "noi" collettivo. Siamo stati in grado di condividere con il lettore solo quattro delle interviste fatte a membri del Poc. Le storie qui raccontate rappresentano l'insieme di esperienze personali e del lavoro svolto sul campo all'interno di Poccupy.

Al confine della piazza

Ho cercato di vendere derivati buoni, ho cercato di vendere derivati buoni, i derivati non sono intrinsecamente cattivi!

Un investment banker in visita a tarda sera a un punto informazioni di Ows all'estremità orientale di Zuccotti Park

Poco dopo la nevicata di ottobre – che aveva ricoperto con due centimetri di fanghiglia il parco – una coppia di anziani ha avvicinato William Scott, seduto nei pressi del marciapiede orientale dell'accampamento, vicino alla biblioteca. "Mi rendo conto che non pensate ad altro, ragazzi, ma sono molto preoccupata per voi," gli ha detto la donna con il suo forte accento del Queens. "Come farete a sopravvivere questo inverno? Come farete a resistere qui con le tempeste, la neve?" Scott ha risposto: "La scorsa notte soffiava il *Nor'easter* ed eravamo qui". Ma quella risposta non ha affatto alleviato la preoccupazione della donna. "È proprio quello che volevo dire! Non è salutare, ragazzi!" Il marito a quel punto ha estratto una mazzetta di denaro dalla tasca e ha insistito nel volere fare una donazione in modo che Scott e gli altri occupanti potessero comprarsi "quelle cose argentate", termine con cui intendeva indicare le coperte isotermiche.

***

Dopo il settembre 2011, mentre gruppi di manifestanti occupavano i marciapiedi in granito di Zuccotti Park, un cordone di polizia isolava l'area separandola dal continuo e tranquillo flusso di pedoni. Nelle vie adiacenti al parco il Nypd aveva disposto transenne portatili in metallo lasciando aperture soltanto nelle intersezioni delle vie e trasformando i marciapiedi che circondavano il parco in una zona cuscinetto che separava l'ex Liberty Plaza Park dai cordoni della polizia. Nel corso dei due mesi di vita dell'accampamento, mentre Zuccotti Park diventava una vera e propria microcittà, questi marciapiedi, una terra di nessuno, avevano finito con il diventare animate aree di contatto in cui occupanti e opportunisti si mescolavano a visitatori occasionali oltre che con la polizia.

Per niente omogenea, l'area cuscinetto formata dai quattro marciapiedi che componevano il perimetro di Zuccotti Park ha ben presto assunto forme distinte, ognuna con interazioni diverse, plasmate da particolarità nell'organizzazione interna dell'occupazione.

Il marciapiede lungo Cedar Street, nella parte sud del parco, confinante con l'area riservata al riposo, era relativamente tranquillo e le relazioni erano silenziose e di carattere commerciale. Il lato sud registrava una presenza degli agenti più discreta rispetto agli altri marciapiedi e, fatta eccezione per qualche furgoncino di troupe televisive parcheggiato di tanto in tanto lungo il viale, nei pressi della Broadway era popolato da chioschi di cibo *halal*, da bar e occasionali venditori di souvenir (ebbene sì, cercavano di trarre profitto perfino da Ows). Un pittore di strada, che aveva improvvisato un commercio di magliette aerografate nella parte sud del parco, ne aveva personalizzata una su due piedi per una bambina in visita con la madre all'accampamento su cui era scritto: "Occup-rincipessa".

In base all'ora del giorno, e costantemente nelle prime settimane dell'occupazione, più ci si avvicinava a Trinity Place, fiancheggiando il marciapiede sud del parco, più invasiva diventava la presenza del Pulse – il gruppo di percussionisti presenti all'occupazione che si era impossessato dei gradini nel lato occidentale del parco. Il luogo in cui si radunavano, nei pressi dell'Albero della vita e dell'altare comunitario (ricoperto da candele, perline, piante, frutta e incenso di salvia bianca perennemente acceso), conferiva un'atmosfera spirituale a quell'angolo di parco. Questo non impediva tuttavia l'improvviso scatenarsi di occasionali dance party. Una sera della prima settimana di ottobre, alcuni ciclisti di Times Up! (gruppo ambientalista di New York fautore dell'azione diretta) si sono presentati sul lato occidentale del parco con uno speciale "sound bike" – mandando a tutto volume brani di Jay-Z, New Order, James Brown e Public Enemy mentre gli occupanti ballavano e cantavano: "All Day, All Week, Occupy the Beats". Brennan Cavanaugh, attivista di Ows che aveva collaborato all'organizzazione dell'improvvisato dance party, ricorda: "Questo episodio è accaduto prima che recintassero il parco, quando era ancora possibile entrare e uscire liberamente. Non c'erano muri e la gente arrivava alzando il pugno al cielo!". La polizia aveva infine respinto i manifestanti in fondo all'isolato e nel giro di qualche giorno le prime transenne erano cominciate a comparire lungo la Trinity.

I percussionisti e lo spazio sacro hanno reso il marciapiede occidentale del parco estremamente popolare fra i turisti che di frequente si aggiravano da quelle parti a scattare fotografie fermandosi a chiacchierare con gli hare krishna vestiti di bianco. La presenza di turisti attirava manifestanti con cartelli – alcuni provenienti dal parco, altri in visita di solidarietà, che lasciavano il loro marchio sull'occupazione con stringati appelli scarabocchiati su qualunque cosa. A questo scopo venivano spesso usati i cartoni della pizza, a causa della loro diffusa presenza, ma non appena i cartelli fatti con le confezioni di pizza hanno cominciato a diventare un simbolo distintivo del movimento, qualunque visitatore desideroso di lasciare un segno personale a Zuccotti Park ha cominciato a "ritenere imprescindibile farlo sui cartoni della pizza", dice Amy Roberts bibliotecaria part-time e archivista del movimento, che ha raccolto molti dei cartelli abbandonati dai frequentatori del parco. "Sono tutti fatti a mano, non sono di quelli preconfezionati. È un fenomeno interessante, perché alcuni dei cartelli contenevano slogan che non avevo mai sentito scandire dagli occupanti, ma penso che presto diventeranno di uso comune. È proprio per questa ragione, credo, che questi cartelli sono nati, sono una forma di espressione. Per me questo è un elemento fondamentale del modo di esprimersi del movimento."

Il numero di manifestanti con cartelli aumentava non appena raggiunto il marciapiede nord di Zuccotti Park. La presenza della polizia a Liberty Street, il confine nord del parco, era molto più consistente e includeva la presenza notte e giorno di decine di agenti e di un vasto assortimento di veicoli del Nypd, una dimostrazione di forza che di frequente impediva il traffico in quella strada. A metà ottobre le forze dell'ordine avevano eretto una torretta mobile che qualcuno nel Class War Camp, un info point anarchico improvvisato nella parte occidentale del parco, ha cominciato a chiamare "la torre di *Guerre stellari*". Lungo il marciapiede nord del parco gli occupanti rispondevano alla militarizzazione dell'area dall'altra parte della barricata con contestazioni quotidiane. I pedoni che si affrettavano su quel lato del marciapiede lanciavano occhiate furtive verso gli occupanti che molto spesso sedevano lì suonando canzoni folk alla chitarra e facendo la colletta per la lavanderia. In un gelido tardo pomeriggio di ottobre, una donna anziana sedeva con un amico più o meno della stessa età, lavorando a maglia cappelli, sciarpe e guanti di lana per gli occupanti, proprio di fronte a un cordone di poliziotti che ammazzavano il tempo in attesa della fine del turno. Il cartello indossato dall'anziana donna includeva, tra le altre cose, un elenco di "necessità": "Porre termine alle guerre; abolire la pena di morte; aumentare le tasse ai ricchi (equità fiscale); una America migliore per i miei nipoti".

Negli ultimi giorni di ottobre, con l'arrivo del freddo e il sequestro da parte di polizia e vigili del fuoco dei generatori alimentati a gasolio, il marciapiede nord ha cominciato a ospitare una serie di postazioni di cyclette che occupanti e visitatori si incaricavano a turno di pedalare alimentando alcuni generatori manuali. Così molti curiosi si radunavano a conversare tra loro e con gli occupanti. Mentre la maggioranza dei manifestanti lungo il marciapiede, cartelli alla mano, attirava l'attenzione dei fotografi, altri partecipavano attivamente alle conversazioni. Jose, ventenne frequentatore abituale, residente a Brooklyn, con baf-

fi e pizzetto, piastrina dei marine e un cartello con la scritta "Aboliamo la Federal Reserve Bank", amava più di altri
conversare con alcuni curiosi che capitavano da quelle parti. "Ho discusso dell'abolizione della Federal Reserve fin da
quando l'occupazione è iniziata il 17 settembre," ha detto
una sera d'inizio ottobre. "Mi chiedo a che cosa serva star-
sene a casa a guardare un film, è questo il posto in cui essere in questo momento."Nonostante non mancassero manifestanti con cartelli e conversazioni sul marciapiede occidentale e nord del parco, l'angolo nordorientale ha ben
presto cominciato a essere il punto più frequentato. In particolare, una fioriera sopraelevata che delimitava il marciapiede nei pressi di Broadway era diventata il punto di
incontro preferito dei manifestanti che innalzavano cartelli e che utilizzavano il muretto in marmo come trespolo da
cui elevarsi per attirare l'attenzione. Una sera di ottobre
uno di questi manifestanti, un ragazzo con scarpe da ten-
nis, capelli color erba e un'appariscente giacca arancio, sedeva sul muretto con un cartello su cui era scritto: "Un altro ragazzo dai capelli verdi a caccia di impresari edili", fir-
mato un sostenitore di Ows. E altri cartelli appesi al muro –
"Chiudere subito l'impianto nucleare di Indian Point", "Un
futuro libero dal nucleare e dal carbone", "Gioia radicale
per tempi duri", con il disegno di una rondine che si lancia
su un nido dentellato. Inoltre, di tanto in tanto, vignette politiche e cartelli provocatori collocati lì quasi a voler evitare le polemiche che avrebbero altrimenti potuto provocare
– come quello che promuoveva "Prima occupazione nazionale di un caucus", in occasione del caucus repubblicano
in Iowa di gennaio e altri cartelli di un teorico della cospi-
razione, Jeff Boss, convinto che la National Security Ad-
ministration (Nsa) fosse coinvolta negli attacchi terroristici dell'11 settembre e che il cibo nel campo di Ows fosse
stato contaminato con un veleno ad azione ritardata.

Quell'angolo di strada, che attirava molti turisti e fotografi, serviva anche come luogo di rivendicazione dei simboli. In aggiunta ad alcuni presenti che sventolavano la bandiera americana, Stephen, studente di origine sudameri-
cana di Economia politica al La Guardia Community Col-

lege, sventolava una bandiera di Gadsden – il vessillo giallo raffigurante un serpente a sonagli arrotolato e pronto a colpire, con sotto il motto "Don't tread on me" (non calpestarmi) – antico simbolo nazionalista e patriottico diventato sinonimo del movimento Tea Party. Con voce rauca, sintomo che aveva difeso la sua scelta per ore, per intere giornate forse, Stephen ha detto: "La ragione per cui sono venuto con questa bandiera è perché è la prima sotto la quale il nostro paese si è unito per combattere l'imperialismo, e questo per me è molto importante. E non solo, il movimento Tea Party, le corporation, i capitani d'industria, i banchieri internazionali, tutta questa gente ha depredato l'America e noi ci stiamo riprendendo quello che ci appartiene. Questa bandiera non è di proprietà del Tea Party! Loro non sono stati calpestati, loro non si interessano del paese ma del proprio conto in banca!".

Stephen parlava con cadenza rapida, instancabile. Discorsi come il suo erano comuni tra gli abituali frequentatori del marciapiede orientale del parco, diventato epicentro di discussioni e di febbrili dibattiti. Il marciapiede, che corre lungo la Broadway, elevato rispetto al resto di Zuccotti Park che si trova ai piedi della scalinata all'estremità del marciapiede, crea un effetto fondale che fa risaltare l'intera area orientale del parco, rendendola fotogenica e trasformandola nella scenografia preferita dai giornalisti per le interviste. Manifestanti e visitatori desiderosi di essere intervistati, o quantomeno inquadrati, tendevano ad ammassarsi sul confine orientale del parco, aggregandosi e offrendo un'immagine che attirava come una calamita conservatori e banchieri che cercavano di capire le ragioni dei manifestanti o forse di metterli alla prova e dimostrarne le contraddizioni. Di tanto in tanto le discussioni si scaldavano al punto da sfiorare la rissa. Una notte di metà ottobre, un occupante di mezza età, vestito di jeans dalla testa ai piedi e con una bandana rossa attorno al collo, si è imbufalito nel corso di una conversazione con un coetaneo di Long Island il quale si era rivolto a lui con la frase "voi liberal" – una vera e propria provocazione per l'uomo, che si definiva socialista e che al suono di quelle parole aveva as-

sunto una posa da combattimento prima che il suo invo-
lontario provocatore se ne andasse ritenendo che non va-
lesse la pena battersi.

Daniel Levine, ventidue anni, studente del Baruch College, volontario assiduo al punto informazioni sul marciapiede orientale, aveva un posto in prima fila in molte di
quelle liti, verbali e non. "Qualcuno aveva colpito un tizio
in faccia," ricorda. "Eravamo stati costretti a chiedere una
prova microfono e a formare un muro umano attorno a
lui. Ho assistito a un paio di incidenti come quello davanti al banchetto. Lì siamo in prima linea e la gente che vuole soffiare sul fuoco, ma è troppo pigra per entrare in piazza, da quelle parti ha vita facile." Buon conversatore e
amante delle storie, come lui stesso ha ammesso, Levine
ha lavorato molto spesso al punto informazioni con turni
anche di diciotto ore. Nonostante un impegno come questo gli calzasse a pennello, non era un'impresa da tutti perché là, al confine orientale del parco, significava di frequente esporsi ad alte dosi di interazioni animate. William
Scott, professore associato di Inglese all'Università di Pittsburgh, che ha lavorato di tanto in tanto al punto informazioni prima di unirsi allo staff della biblioteca, ha detto che quel lavoro lo aveva mandato letteralmente fuori di
testa. "È un fiume incessante di persone che chiedono le
cose più disparate. E circa una domanda ogni cinque ha
legittimamente a che fare con noi," ricorda Scott. "Le altre quattro sono del tipo: 'Che cosa diavolo credete di fare
ragazzi?'."

Ma se attirava persone con domande e critiche sull'occupazione, il marciapiede orientale era anche un confessionale dove si consumava il rito dell'assoluzione. Levine
ricorda una visita a tarda notte di un investment banker.
"Credo fossero state le percussioni a risvegliare in lui il senso di colpa. Diceva: 'Ho cercato di vendere derivati buoni,
ho cercato di vendere derivati buoni, i derivati non sono intrinsecamente cattivi!'. E prima di andarsene aveva infila-
to una ventina di dollari nel cestino delle donazioni. Era
molto strano, nelle prime due settimane il punto informazioni era diventato un confessionale in piena regola."

Dopo un mese di lavoro all'info point, Levine ha ammesso di essere tornato raramente a Liberty Plaza – la sua quotidianità nel movimento, dice, non verteva intorno alle cucine, o alla assemblea generale, e di certo non intorno alle percussioni del gruppo Pulse. No, la sua vita era "intorno a quel tavolo".

Altre persone che vivevano lungo il perimetro esterno del parco sentivano una forte vicinanza con il resto della piazza. Anche Patricia, una volontaria cilena, forniva informazioni, nel suo caso in spagnolo – il tavolo del suo gruppo di lavoro, ricoperto di pamphlet informativi, si trovava sul marciapiede nell'angolo sudorientale del parco, nei pressi della Cosa rossa – ma lei, a differenza di Levine, iniziava la giornata con una passeggiata a Zuccotti Park per avere il polso della situazione e di solito si recava in visita alla postazione del gruppo di lavoro sui media, nei pressi della biblioteca.

Le interazioni lungo i marciapiedi erano sempre mediate dalla presenza della polizia. Nonostante le conversazioni tra una parte e l'altra della barricata fossero comuni sia nel lato nord, sia in quello orientale, si limitavano di fatto a richieste di turisti sulla direzione dei grandi magazzini Century 21 o di Ground Zero, oppure su dove fosse la toilette più vicina. In una occasione, tuttavia, il significato di quelle barriere in metallo è sembrato temporaneamente sospeso. Un giorno dell'ultima settimana di ottobre, un gruppo di poliziotti era impegnato in una conversazione sul versante della Broadway, lungo il confine orientale del parco e a quattro o cinque metri si trovava una ragazza con un cartello su cui era scritto: "Battete le mani due volte se avete debiti". Notata la sua presenza, un agente bianco piuttosto alto, infrangendo il muro immaginario che separava i due lati della barricata, ha urlato: "Oh!" e sorridendo ha battuto due volte le mani. Gli altri agenti hanno smesso di conversare guardandolo con aria confusa. "Sul cartello c'è scritto: battete le mani se avete debiti," ha detto loro l'agente, "e io ho debiti." Gli agenti, capito lo "scherzo" – la constatazione che avevano più cose in comune con le persone dall'altra parte della barricata di quante ne avessero con coloro che avevano ordinato di mettere quelle transenne –, hanno sorriso. "Anche io ho dei debiti!" è intervenuto dicendo un altro agente. E un terzo, con una battuta finale, ha aggiunto: "Siamo tutti indebitati".

Washington Square, Times Square

Sono una immigrata. Ero venuta a portarti
via il lavoro. Ma nemmeno tu hai un lavoro.

*Scritta su un cartello tenuto da Ilektra Man-
dragou a Times Square*

Il 15 ottobre, alle 5 del pomeriggio, la luce del giorno
non si era ancora spenta, ma a Times Square le insegne pub-
blicitarie e le luminarie dei palazzi cominciavano ad ac-
cendersi. Di lì a poco la piazza sarebbe stata più affollata
che mai. Un gruppo di ragazzi sui trampoli e la banda degli ottoni – alcuni componenti della Rude Mechanical Or-
chestra – si stavano radunando, fra le insegne pubblicita-
rie della produzione di Broadway *Bonnie & Clyde* e il palazzo della Bank of America. Gruppi di sostenitori di Ows
– tra cui studenti, camionisti e rappresentanti della United
Auto Workers (Uaw) – formavano capannelli reggendo cartelli. Due studenti con capelli e barba nera, imbarazzati ma
decisi, introducevano a forza un cartello scritto a mano davanti alle telecamere di una delle troupe televisive disse-
minate nella piazza con la scritta: "I soldi regnano su tutto
quello che mi circonda. Distruggi il capitalismo". Alcuni turisti guardavano con aria da allocchi e proseguivano. Una
coppia proveniente dalla Pennsylvania chiedeva se fosse
questo Occupy Wall Street e se stesse per accadere qualcosa, se altra gente stesse per arrivare o se il gruppo di persone lì riunito fosse tutto quello che potevano attendersi.
"Siamo qui per sostenere Occupy Wall Street," ha risposto
il più alto dei due studenti, "ma non so dirvi quanto grande possa diventare questo presidio." Dopo avere pronun-
ciato queste parole ha lanciato un'occhiata verso le tran-

senne in metallo sistemate alacremente e ha innalzato di nuovo il cartello sopra la testa.

Alle 6 Times Square era ricolma di sostenitori di Occupy Wall Street, molti dei quali erano, o sarebbero diventati, membri della emergente New York City All Student Assembly, gruppo nato in sostegno a Ows e nel tentativo di dare vita a un movimento studentesco autonomo.

***

La prima assemblea studentesca cittadina a sostegno di Ows si è tenuta sabato 8 ottobre, a Washington Square Park, uno spazio pubblico di Greenwich Village, di fianco al principale campus dell'Università di New York.

Gli studenti avevano aderito a Ows fin dall'inizio e la questione del debito studentesco ha assunto subito un rilievo centrale. In ogni azione dell'assemblea studentesca, che non è mai stata unicamente un movimento giovanilistico, risuonavano le voci di una generazione determinata a non accettare passivamente un ordine ingiusto. Nel corso di una delle prime marce su Wall Street, uno studente di Legge dell'Università George Washington si è inginocchiato in strada e ha narrato ad alta voce la storia dei genitori, entrambi laureati. Mentre parlava, faceva cenni in direzione della facciata di un edificio lì vicino: "Quella è la banca che si è presa la casa dei miei genitori... Loro [i miei genitori] avevano rispettato le regole... Preferirei morire piuttosto che starmene con le mani in mano a guardare mentre portano via tutto quello che si sono guadagnati con il loro lavoro... Non me ne andrò... Non me ne starò tranquillo". Poco dopo, su sua richiesta, è stato arrestato.

Nelle settimane successive, studenti e insegnanti delle scuole di ogni ordine e grado dell'area di New York hanno cominciato a organizzare e coordinare azioni interne. Non esisteva tuttavia tra questi gruppi, divisi a livello istituzionale, né comunicazione né coesione. Fin da quel primo sabato e nei successivi le assemblee cittadine degli studenti hanno cercato di porvi rimedio.

Facebook, un sito di Google Groups, volantini e altri media hanno diffuso la notizia delle assemblee. L'obiettivo, come ha raccontato un facilitatore (un moderatore di fatto) nel terzo incontro settimanale, era creare "uno spazio per tutti gli studenti di New York in cui incontrarsi e riflettere sulle caratteristiche del movimento, su come costruirlo e come lavorare insieme". Le assemblee – che attiravano studenti, insegnanti e diplomati di scuole cittadine e suburbane, rappresentanti studenteschi, gruppi di attivisti come il New York Student Rising, membri del gruppo di lavoro di Ows dedicato alla formazione e alla autodeterminazione, rappresentanti di organizzazioni sindacali e perfino genitori preoccupati del debito cui loro e i loro figli si esponevano – erano diventate un forum per importanti proclami e storie condivise e, soprattutto, il coordinamento di azioni e di impegni comunitari. È iniziata allora l'organizzazione di uno Student Day of Action.

Nella organizzazione di questa giornata erano coinvolti studenti della City University of New York (Cuny), la maggioranza della popolazione studentesca della città. Soggetti da tempo ad aumenti delle tasse delle università pubbliche una volta gratuite, gli studenti della Cuny lo scorso autunno hanno dovuto far fronte a una ulteriore maggiorazione di millecinquecento dollari. Nel frattempo studenti e professori aggiunti erano costretti a lavorare in classi sempre più numerose subendo il blocco degli stipendi e il taglio della loro ormai minima copertura sanitaria.

Centro organizzativo del movimento studentesco cittadino è diventato il Graduate Center del Cuny. Gli studenti, molti dei quali sono anche professori aggiunti, si sono mobilitati tramite la rete entrando a far parte del Professional Staff Congress (Psc), rappresentanza sindacale della City University of New York e della Research Foundation del Cuny. Hanno inoltre organizzato scioperi, teach-in e assemblee all'Hunter College, al Baruch College, al City College e al Brooklyn College. L'organizzazione è riuscita a raggiungere anche il Medgar Evers College, un campus in cui l'attivismo studentesco è agli esordi. Gli organizzatori universitari si sono esplicitamente ispirati al leggendario Slam, l'organizzazione studentesca del Cuny che negli anni no-

147

vanta ha lottato contro l'aumento delle tasse e che nel 1969 aveva organizzato l'occupazione degli studenti neri e portoricani del City College, un'azione che aveva avuto l'effetto di "aprire l'istituzione a nuove politiche di ammissione" e inaugurare il cambiamento.

Tuttavia l'ampiezza del Cuny, le sue dimensioni e la fatica degli studenti della classe lavoratrice, che devono di frequente fare coincidere la scuola con il lavoro e gli altri obblighi familiari, hanno reso l'opera di organizzazione un compito titanico. La programmazione del Day of Action è stata sostanzialmente favorita da un'alleanza con studenti delle università private.

Prima della nascita del movimento, le alleanze tra studenti di college e università pubbliche e private in città beneficiavano della sindacalizzazione degli studenti lavoratori e in generale del sostegno del sindacato. Molti degli attivisti del New York Students Rising erano membri della federazione degli assistenti universitari di Communication Workers of America (Cwa). Erano stati presenti attivamente al Day of Action del 4 marzo 2010 contro gli aumenti delle tasse scolastiche, i tagli ministeriali e altri attacchi all'istruzione superiore che – sempre più studenti ne erano consapevoli – rientravano nel complessivo attacco alla contrattazione nazionale e alla classe lavoratrice americana. Gli studenti dell'Università di New York erano stati inoltre coinvolti in battaglie sindacali locali, fornendo supporto alle negoziazioni contrattuali del corpo docente subordinato (il corpo docente subordinato all'Università di New York e quello nella New School sono entrambi rappresentati dalla sezione 7902 della Uaw), e alle rivendicazioni dei trasportatori della casa d'aste Sotheby's e dei lavoratori di Stella d'oro. Gli stessi assistenti dell'Università di New York hanno in corso una campagna per il riconoscimento del loro sindacato, la sezione 2110 del Gsoc-Uaw.

Gli assistenti universitari sindacalizzati si tengono aggiornati sulle lotte nei campus e nelle città attraverso le organizzazioni sindacali dei genitori, ma anche grazie ad altre reti di giustizia sociale, compresa la Coalition for Graduate Employee Unions (Cgeu) – una libera affiliazione di sindacati di assistenti universitari attiva negli Stati Uniti e in Canada, la cui conferenza annuale nel 2011 si è tenuta all'Università di New York e ha ospitato relatori provenienti da Madison, Wisconsin, dove il sindacato era attivo nella difesa della contrattazione collettiva attaccata dal governatore Scott Walker. Tra gli altri interventi, quelli di attivisti della facoltà di Legge dell'Università di Portorico, i quali hanno parlato della minaccia globale portata al diritto allo studio e ai diritti dei lavoratori – una minaccia sulla quale gli studenti dell'area di New York si tengono informati attraverso post di Facebook e Twitter di attivisti greci, indiani, inglesi e del resto del mondo.

Studenti, docenti e staff dell'Università di New York sono inoltre attivi in una campagna, che dura da quasi quattro anni, in favore dei diritti dei lavoratori migranti, i quali hanno costruito, gestito e tenuto in vita dipartimenti esteri, in particolare ad Abu Dhabi. Gli studenti dell'Università di New York negli anni che hanno portato all'occupazione del Kimmel Student Center, nel febbraio 2009, hanno inoltre organizzato il Tuition Reform Action Committee (Trac) e lo Students Creating Radical Change (Scrc). L'occupazione era direttamente ispirata a quella della New School del dicembre 2008. Gli organizzatori di quella occupazione erano in contatto con attivisti delle università californiane, diventati famosi nel corso dell'occupazione dell'Università di Santa Cruz per non avere presentato richieste e avere pubblicato un manifesto in cui ne spiegavano le ragioni.

Queste reti hanno contribuito a galvanizzare e a consolidare il sostegno tra studenti e gruppi affini in favore dell'azione di massa degli studenti di New York favorendo, durante il National Day of Action di Ows, la creazione di uno *speak-out* degli studenti che ha preceduto la convergenza a Times Square. Gli studenti non potevano prevedere gli avvenimenti del giorno precedente – un tentativo di sgombero impedito da una mobilitazione di massa di sindacati, Move On e altri sostenitori – che naturalmente hanno contribuito ad accrescere l'energia e il successo delle proteste a lungo pianificate.

***

Fin dai primi tempi del movimento la narrazione personale ha contribuito a costruire solidarietà – e a rendere visibile Ows presentandolo al mondo esterno. Per molti, il desiderio di esorcizzare la frustrazione associata agli obiettivi positivi era doppiamente motivante. Nelle assemblee generali e negli incontri cittadini studenti ed ex studenti esprimevano ansia e perfino disperazione nei confronti della prospettiva di una crescente accumulazione del debito. Per loro la posta in gioco era elevata. Nel loro caso il movimento non rappresentava semplicemente un importante progetto sociale o un esperimento di politica comunitaria, ma una possibilità di redenzione da obbligazioni finanziarie impossibili.

Lo speak-out che si è tenuto a Washington Square Park, un parco pubblico nel cuore del campus di un college privato, ha attirato circa seicento partecipanti. Un facilitatore incaricato ha avvicinato a una a una le persone, che hanno spiegato il motivo della loro presenza. Il microfono umano ripeteva il racconto delle singole storie, rendendole udibili fin sul fondo, al confine sud del parco. Molti degli studenti presenti si erano mobilitati la notte precedente per impedire lo sgombero di Zuccotti Park eppure, invece di essere esausti, erano baldanzosi e parlavano con l'urgenza di chi è consapevole della necessità della solidarietà.

Una madre che aveva deciso di tornare a studiare dopo un decennio trascorso ad allevare i figli ha raccontato dell'amore per il proprio corso di studi, ma anche della paura che il diploma di assistente sociale non sarebbe stato sufficiente a consentirle di ripagare il prestito contratto e tanto meno permettersi le tasse dei figli ormai prossimi al college. Un'energica ragazza si è alzata e ha tenuto un teach-in improvvisato sul debito studentesco, facendo una similitudine con la crisi dei mutui e la tattica predatoria delle banche. Diversi studenti hanno lamentato i recenti tagli ai fondi federali riservati al diritto allo studio. Un altro ragazzo, del Vermont, ha detto di essere venuto non perché studente, ma perché avrebbe voluto esserlo. Vent'anni, disoccupato e impossibilitato a frequentare l'università, ha detto: "Il mio futuro è desolante".

Nonostante il debito e le tasse scolastiche fossero le questioni principali della giornata, uno degli intervenuti, Jason Ide – giovane studente e presidente della sezione 814 degli autotrasportatori –, ha lanciato un appello alla solidarietà tra studenti e lavoratori, raccontando come i membri della sua sezione, camionisti che consegnano opere d'arte per le case d'aste d'élite della città, siano costretti a subire la serrata del datore di lavoro. "Siamo nella stessa barca," ha detto. "I membri della nostra sezione non prendono lo stipendio da dodici settimane."

Verso la conclusione dello speak-out, gli studenti hanno costituito gruppi di lavoro, tra cui uno di studenti di colore, uno contro l'oppressione e un gruppo d'azione cui è stato assegnato il compito di definire futuri happening. Si sono radunati attorno alle panchine indicando i distintivi che indossavano e sollevando i cartelli per dimostrare la ragione che li aveva spinti a Washington Square. Un ragazzo in uniforme da boy scout con un piede di gomma sanguinolento che fuoriusciva da uno zaino kaki aperto, e che andava di gruppo in gruppo, aveva infine seguito alcuni studenti decisi a tornare a Zuccotti Park, altri ancora se ne sono andati a compiere azioni contro filiali di banche locali che si sono concluse con alcuni arresti.

Mentre gli studenti si disperdevano, qualcuno all'estremità sud del parco ha urlato: "Ci vediamo al ballo delle cinque!". Ed è cominciata una lenta convergenza da tutti gli angoli della città verso Times Square, dove migliaia di dimostranti – studenti e non – si sarebbero radunati mescolandosi con turisti e curiosi. Alcuni di loro erano radiosi – in fondo il movimento aveva appena respinto il principale tentativo di chiudere l'accampamento di Zuccotti Park. Altri ritenevano l'occupazione ancora vulnerabile e volevano difenderla. Ma tutti erano arrivati per la stessa ragione per la quale la gente si presentava a ogni protesta di Occupy: mettere fine alla plutocrazia.

Nonostante la polizia impedisse l'attraversamento della

piazza, rendendo impossibile a molti dimostranti ricongiungersi con amici, familiari o gruppi affini, la manifestazione continuava ad avere un tono pacifico e allegro. La giornata di protesta coincideva con ComicCon, raduno di fanatici dei fumetti da tutto il paese, e con ZombieCon che, secondo la definizione data dal sito web, era "un gruppo liberamente organizzato di zombie assetati di sangue", i quali si "radunano una volta all'anno per attaccare New York in una teatrale, assurda parodia di cieco consumismo e di scelte demenziali". I partecipanti delle due convention in questo modo si erano uniti ai dimostranti nei loro costumi, dando alla protesta un aspetto unico, con supereroi e zombie perfettamente mescolati al 99 per cento degli indignati con i loro cartelli.

Insieme a studenti, amanti dei fumetti e una coalizione di morti viventi, la protesta di Times Square aveva attirato famiglie con bambini, lavoratori, disoccupati e giovani professionisti. Ilektra Mandragou, designer freelance, era venuta con il marito, studente del Cuny e professore aggiunto. La ragazza reggeva un cartello che diceva: "Sono una immigrata. Ero venuta a portarti via il lavoro. Ma nemmeno tu hai un lavoro". Mentre la folla cresceva, una scritta campeggiava sopra le teste dei manifestanti: "Il movimento Occupy Wall Street è in tutto il mondo", in riferimento alle proteste di solidarietà che quel giorno si svolgevano in ottanta paesi.

Gli zombie, avendo cominciato a bere all'1 di pomeriggio, dopo un'oretta circa sono tornati da dove erano arrivati, in modo da continuare nei loro festeggiamenti serali, che si sarebbero conclusi alle 4 del mattino. Le fila dei contestatori di Times Square intanto continuavano a infoltirsi.

La giornata si è conclusa con oltre ottanta arresti, una cifra bassa se raffrontata con quanto accaduto durante la marcia sul Ponte di Brooklyn. Ma la folta presenza di agenti di polizia intimidiva, diretta com'era perfino contro il più mite dei manifestanti. "Stavano per arrestare mio figlio. Siamo riusciti a sfilarci mentre calava la rete," dice Rivka Little, fondatrice di 99 Percent School, diventata in seguito attiva in Occupy Harlem e Parents for Occupy Wall Street.

"Le moto della polizia erano lanciate direttamente su di noi. È stato spaventoso." Le figlie della donna – di sei e dodici anni – avevano trascorso numerosi weekend a Zuccotti Park durante l'occupazione. Sebbene per incentivarle a partecipare Rivka avesse fornito loro snack alla frutta e abiti caldi, incidenti come quelli di Times Square ricordavano alle ragazze che cambiare il mondo è una faccenda seria. O come ama dire scherzando Rivka: "La rivoluzione non è una scampagnata!".

Per la maggioranza delle famiglie, tuttavia, le conseguenze delle proteste di Times Square si limitavano a un po' di appetito in più. Sotto le insegne dell'Hard Rock Café un bambino di cinque anni, adattando un canto di protesta alle proprie esigenze, salmodiava: "Il popolo! Unito! Adesso va a mangiare!".

Poco dopo, un gruppo proveniente da Times Square tornava a Zuccotti Park, per il momento clou di una rigogliosa protesta.

L'arte della piazza

Noi crediamo che questa sia l'alba di un nuovo movimento artistico, di una nuova scuola di pensiero... e ci auguriamo che anche voi vi unirete a noi.

Messaggio del subcomitato arte e cultura di Ows ai poeti radunati nel parco

Come Occupy Wall Street cerca di ridefinire politica e democrazia, così la componente artistica del movimento è interessata ad allargare il confine dell'arte futura. L'intero movimento è interessato all'evoluzione e al cambiamento, a modificare la percezione, ad aumentare la capacità di riflessione. È interessato a fornire alle persone strumenti che favoriscano una riflessione chiara e critica sulla loro collocazione all'interno della comunità globale e locale. A questo proposito i membri dei gruppi che si occupano d'arte ritengono che il loro lavoro sia vitale quanto quello dell'assemblea generale. Mentre questa prende decisioni e costruisce la comunità attraverso il dialogo e la cooperazione, la confraternita degli artisti cerca di diffondere consapevolezza, il fertile terreno in cui la comunità può fiorire. "Prima che cambino le pratiche sociali e le istituzioni, è necessario cambiare il discorso," ha spiegato Alex Carvalho, membro fondatore del gruppo di lavoro arte e cultura. "È necessario innanzitutto cambiare estetica, cambiare simboli e immagini usate dalla gente come fondale su cui costruire il discorso."

Queste considerazioni sui simboli del movimento e sulla sua rappresentazione sono state parte di Ows fin dal principio. Il gruppo arte e cultura è stato costituito in preparazione del 17 settembre, ma anche pianificato e vissuto attraverso azioni artistiche durante l'estate. Alex imputa infatti "il primo arresto di massa del movimento" al fallito tentativo del gruppo arte e cultura di occupare Wall Street il 1° settembre. Quella notte dodici membri del gruppo si sono riuniti con chitarre, poesie e canzoni per protestare contro le soluzioni proposte alla crisi economica. Nove dei dodici presenti sono stati arrestati dopo un confronto con la polizia che sosteneva che gli attivisti non potevano dormire a terra. L'azione aveva tuttavia dimostrato la dedizione dei partecipanti verso l'arte come forma di discorso politico.

La loro azione successiva ha ottenuto maggiore successo. Nel corso del primo giorno ufficiale di esistenza di Ows, il gruppo ha gestito "la Borsa del divertimento di New York", il carnevale nel parco di Bowling Green il cui scopo era criticare tutte le altre Borse coinvolgendo i passanti in forme di espressione creativa. Jez, uno dei fondatori del gruppo, ha spiegato che lui e i suoi colleghi desideravano che "le proteste non fossero minacciose, ma interamente pacifiche, simboliche e teatrali".

Ma quando al loro arrivo hanno trovato sbarrato l'accesso a Wall Street, il piano del gruppo ha subìto un inevitabile rallentamento. "Ero arrivato un'ora o due prima del previsto inizio del carnevale," ha spiegato, "e fin da subito ho trovato gente lì radunata. Molti tuttavia non sapevano nemmeno che cosa stesse per accadere. Gironzolavano senza la minima idea di che cosa fare." I volantini previdentemente stampati dal gruppo non avevano più valore adesso che gli spazi d'azione erano bloccati, ma nonostante la naturale confusione – che ha, per esempio, costretto un musicista a non esibirsi in assenza di un permesso di amplificazione – gli artisti hanno improvvisato.

"Ho cercato di organizzare un corteo attorno al Toro," ha detto Jez, "che però era circondato da transenne e dietro le transenne erano schierati gli agenti di polizia, così, sono riuscito solo a lanciare un generico invito. La gente ha cominciato a cantare e suonare – avevo portato i miei bongo, gli unici strumenti disponibili. Poi ho invitato le persone a fare yoga." Gli eventi del giorno erano molti e diversificati, e andavano da teach-in sull'economia a performance di cori itineranti e di un fittizio "predicatore evangelico anticapitalista", il reverendo Billy e la sua chiesa di Stop Shopping. Quando Jez non era in corteo, o non faceva yoga, incombeva tra la folla con manciate di fiori da distribuire tra le persone lì riunite. E ripensando a quella giornata, dice: "Abbiamo cambiato la natura dello spazio in cui eravamo, presentandoci e attirando l'attenzione dei presenti, parlando con loro e invitandoli a dare più spazio a se stessi... come gruppo, come persone connesse tra di loro". Nel corso dell'occupazione è emersa una comunità di artisti sempre più ricca e variegata capace di esplorare quella connessione. A mano a mano che le tende aumentavano, che si delineavano gli accessi pedonali all'interno dell'accampamento e che il parco diventava un labirinto di fumi, profumi, percussioni, apparecchiature, punti informazione e di incontro, di astanti perplessi, oltre che, naturalmente, di agenti di polizia, Zuccotti Park offriva un grande rimescolamento sensoriale. In un ambiente come questo, il gruppo arte e cultura dimostrava un approccio strategico al lavoro. Reg Flowers, attore teatrale e organizzatore comunitario di Brooklyn, lo racconta in questo modo: "Nel movimento Ows le arti non servono da semplice decorazione o come distrazione, ma diventano strumenti con cui relazionarsi con la base, lanciare un messaggio chiaro e interessare persone che altrimenti non troverebbero modo di interagire con il movimento". Nessuna espressione artistica era frivola ma utile a incoraggiare i manifestanti e aiutarli a reagire. Le spillette con gli slogan incoraggiavano la diffusione passiva del messaggio; la cartellonistica contribuiva a espandere il marchio "99 per cento" dell'occupazione ai vicini e nei campus universitari; e si tenevano forum teatrali a microfono aperto in cui la gente imparava a esprimersi senza essere giudicata.

Ben presto residenti e turisti hanno cominciato a recarsi a Zuccotti Park semplicemente per osservare lo spettacolo da vicino. Joe Therrien era uno di questi. Aveva conosciuto il movimento online, ha detto, e voleva verificare dal vivo di che cosa si trattasse. Una volta arrivato al parco, ricorda, "ho scoperto in poco tempo che l'atmosfera era elettrizzante e che parlare con la gente a Liberty Square era meraviglioso". Joe era stato immediatamente coinvolto e aveva fondato il gruppo dei burattinai mettendo in questo modo a disposizione di tutti la propria abilità. Nel corso delle marce e dei raduni, le creazioni del gruppo erano animate da numerosi burattinai che sostenevano i burattini con l'aiuto di pertiche. Uno di questi, Lady Liberty, una marionetta di oltre due metri, ha fatto una delle sue prime apparizioni a Washington Square all'inizio di ottobre, librandosi sulle teste dei manifestanti, dando un senso di gravità all'azione. I burattinai le sollevavano di tanto in tanto le braccia verso il cielo come se abbracciasse e benedicesse la moltitudine lì convenuta. Una serie di altri burattini ha partecipato alla annuale Halloween Parade di Greenwich Village. Il gruppo dei burattinai, insieme con il gruppo arte e cultura, ha contribuito alla marcia con striscioni e burattini giganti insieme con il migliaio di militanti che propagavano il vangelo della giustizia economica.

Un altro dei primi gruppi artistici emerso in modo similmente organico è stato quello di poesia. Il primo raduno di poeti a Occupy Wall Street si è tenuto durante gli ultimi giorni di settembre, quando in una cinquantina si sono radunati per un reading a Liberty Square. Niente star, niente stile unificante, niente biglietto d'entrata e, naturalmente, niente reading convenzionale. L'evento iniziale, un reading di una settimana intitolato "L'assemblea dei poeti", era stato organizzato più come una assemblea democratica ateniese che non come un classico reading di poesia. Le voci avevano tutte la stessa dignità e a tutte era concessa la prerogativa di presentarsi davanti all'assemblea. Se l'occupazione era un movimento orizzontale e senza leader, la poesia non era da meno. I poeti erano radunati in gruppi in modo casuale e avevano non più di tre minuti di tempo a testa per leggere. Le strofe erano ripetute usando il metodo del microfono umano. Gli autori presenti non erano lì, dicevano, solo per chiedere democrazia, ma per rappresentarla.

Eventi come questo hanno favorito in un breve arco di tempo la richiesta di nuovi collettivi artistici. Come affermava una e-mail del subcomitato arte e cultura, "noi crediamo che questa sia l'alba di un nuovo movimento artistico, di una nuova scuola di pensiero. Per catalizzare questo nuovo movimento artistico stiamo creando all'interno del gruppo arte e cultura collettivi in modo che il nostro movimento e la società avanzino verso un nuovo paradigma estetico. Esiste adesso un collettivo di performance artistiche, uno di musica e ci auguriamo che anche voi vi uniate a noi con la poesia". E i poeti si sono uniti a una moltitudine di altri gruppi. Nell'elenco delle confraternite affiliate al gruppo arte e cultura sono adesso presenti non solo musicisti, poeti e burattinai, ma anche fotografi, attori, scrittori, architetti, registi, scultori, ballerini, pittori – un elenco infinito di arti creative. Ma per quanto l'opera del gruppo arte e cultura sia stata significativa nell'aiutare le persone a sperimentare il senso di liberazione che accompagna la libertà espressiva, la storia del rapporto tra il movimento e le arti deve molto anche ai singoli che, pur non essendo affiliati a gruppi di lavoro, hanno contribuito in modo spontaneo alla creatività generale. Tra gli altri, occupanti provenienti da altre città, come Jaco, che ha portato con sé da Toronto una serie di strumenti, dall'ocarina a un set di percussioni, e che ha parlato a lungo dell'importanza dell'improvvisazione musicale nel saldare il legame tra le persone. Non è stato l'unico artista ad avere questa particolare visione: numerosi musicisti, non appena abbozzato qualche accordo, hanno attirato folle che cantavano classici di musicisti come Bob Dylan, Woody Guthrie, Byrds e Buffalo Springfield. Degno di nota è stato anche il tanto vituperato circolo dei percussionisti che si radunava nel lato occidentale del parco, dove si esibiva nel "battito vitale" – il Pulse, nome con cui si sono ribattezzati – del movimento. Anche gli artisti visivi hanno dato il loro contributo. In alcuni casi, come James, se ne sono stati seduti a ritrarre quello che li circondava. In altri, come una ex artigiana tessile di Broadway, hanno visitato il parco quotidianamente (la donna sferruzzava a maglia berretti di lana per gli occupanti). Una donna, un'artista di Brooklyn, trascorreva le serate a casa a dipingere soggetti che l'avevano ispirata e la mattina dopo tornava al parco a mostrare e illustrare il suo lavoro alle persone che la circondavano. Nei giorni di bel tempo un gruppo di incisori preparava e fissava le proprie opere su materiali diversi. Uno dei più interessanti ritraeva la torre di sorveglianza del Nypd, degna del robot ED 209 del film *Robocop*, circondata da scritte nere, "Benvenuti a New York" e "Occupy Wall Street". Naturalmente, abbondavano fotografi e filmmaker dilettanti. Nell'era digitale siamo tutti artisti. I manifestanti hanno fotografato e filmato sia per la posterità sia per documentare il comportamento della polizia.

Perfino gli scrittori hanno trovato il modo di entrare in relazione con le masse intorno a loro. Il Giorno del ringraziamento, un anziano signore seduto a uno dei tavoli in marmo ha offerto un testo a Kat, una degli occupanti. Ha chiesto alla donna di sedersi al suo fianco mentre narrava il racconto a un giovane il quale lo scriveva su un taccuino e, una volta terminato, l'uomo ha strappato le pagine e le ha donate alla donna. Mentre Kat se ne andava, l'uomo ha avvicinato un'altra occupante proponendole lo stesso racconto. I cartelli sono un altro importante veicolo di trasmissione dell'espressione scritta. Quando non è più stato consentito loro di usare bastoni come sostegno dei cartelli, gli occupanti hanno cominciato ad adattare i cartoni della pizza – ordinate dal locale Liberato's Pizza e offerte ai manifestanti con donazioni provenienti da tutto il paese – riempiendoli di slogan che dimostravano la varietà delle voci all'interno del parco, dall'invito all'azione diretta – "Se guadagni meno di 250.000 dollari l'anno sei dei nostri" – a quello alla rivoluzione – "Il capitalismo uccide" – alla richiesta di riforme – "Reintroducete la legge Glass-Steagall".

La più organizzata di tutte queste forme di scrittura resta la rivista "The Occupied Wall Street Journal", una testata che, pur non essendo la voce ufficiale dell'occupazione, è diventata un'icona. L'ambito dei giornalisti che collaborano alla rivista spazia da quelli famosi, come Cornell West e Barbara Kingsolver, agli sconosciuti, e il periodico, che pubblica immagini, manifesti, editoriali e racconti di esperienze provenienti da tutto il paese, è distribuito dagli stessi occupanti – sia a Zuccotti Park, sia altrove – che lo trasportano in pile a braccia offrendo copie gratuite ai passanti.

Sebbene lo spazio fisico di Zuccotti Park non sia più occupato in massa, l'arte autonoma emersa nel parco esiste ancora, ma "occupa" adesso spazi in movimento – marce, manifestazioni e perfino centri culturali. Librerie radicali locali, caffè letterari e centri di attivisti hanno presentato arte prodotta da Ows; il locale Southpaw ha in programmazione un concerto per gli artisti di Occupy; un altro locale di Manhattan, The Epifaneo Collective, ospita riunioni dello spokescouncil di Ows il lunedì e il mercoledì; e altri locali ospitano il microfono aperto settimanale del movimento. Insieme al gruppo arte e cultura è emerso un gruppo arte e lavoro che si batte contro pratiche di lavoro inique nel campo dell'arte, dai trasportatori, agli impiegati nello spettacolo e altri membri sfruttati della forza lavoro operante nel campo dell'arte.

Gli artisti coinvolti nel movimento sono convinti di riportare in vita al contempo la politica e l'arte popolare. Come ha sostenuto Jez, non solo le assemblee generali e le azioni dirette coinvolgono elementi di espressione artistica, ma sono *in se stesse* opere d'arte. "La prima performance di Occupy Wall Street è stata l'assemblea generale... Eravamo impegnati in un atto di disobbedienza civile," dice, raccontando come alle prime assemblee partecipassero più delle venti persone consentite in assembramenti pubblici. Afferma che per lui le prime assemblee generali e le successive azioni di disobbedienza civile erano "per definizione delle performance" in cui facilitatori e partecipanti creavano una nuova forma di performance con la collaborazione di un pubblico che nello stesso tempo osservava e partecipava. Alex descrive gli atti di disobbedienza civile alla stregua di performance artistiche patrocinate dal movimento, performance descritte come una danza tra autorità e movimento. In questa logica l'azione diretta diventa un modo attentamente coreografato di mettere alla prova i limiti del governo. Secondo Alex è "un modo di tastare il terreno, di dire: 'vediamo come reagisce il sistema'". Forse non è un caso che gli artisti si incontrino tra la Cosa rossa, la statua di Mark di Suvero, e il World Trade Center, uno dei luoghi più significativi della recente storia americana. Il mix simbolico di arte e storia rende tangibile il cambiamento politico a centinaia di artisti affiliati a Ows e alle migliaia di altri simpatizzanti del movimento, o, come dice Imani Brown, membro del gruppo arte e cultura, "lo rende accessibile alla gente". È il desiderio artistico ad alimentare il sogno e, come molti altri, anche Imani, si sente rinvigorita e "davvero eccitata per un futuro che appare più luminoso".

L'occupazione si propaga

> Bam. Siamo tornati a Oscar Grant Plaza.
> Hanno speso mezzo milione di dollari per
> cacciarci da lì e hanno dovuto rendersi con-
> to che noi non molliamo. Siamo in 2500. In
> assemblea generale.
>
> *Post su Facebook di Boots Riley, musicista e*
> *attivista di Occupy Oakland, che commenta*
> *la nuova occupazione del 27 ottobre*

La stagione delle rivoluzioni e delle occupazioni propa-
gatesi in Nord Africa, Medio Oriente e nel bacino del Me-
diterraneo nei primi mesi del 2011 ha estasiato il mondo
intero per molte ragioni. Ma è stato soprattutto negli Stati
Uniti, e in coloro ai quali l'esito del cambiamento promesso dall'elezione di Barack Obama aveva lasciato l'amaro in
bocca, che le notizie provenienti da quei paesi hanno istil-
lato una nuova, tenue speranza. Collegati in streaming su
Al Jazeera, a caccia di notizie sugli occupanti di piazza
Tahrir in Egitto o di Puerta del Sol in Spagna nei blog e su
Twitter – hanno cominciato a porsi una domanda eccitan-
te: avrebbe potuto accadere lo stesso anche qui?

L'occupazione di Zuccotti Park a metà settembre è stata l'eclatante risposta a quella domanda. Mentre le rivolte
si diffondevano come un incendio nel bacino del Mediter-
raneo, la scintilla di New York ha ben presto ispirato occupazioni in tutto il Nord America e nei territori dell'im-
pero americano in tutto il mondo. Come "la primavera araba" e "l'estate europea", anche negli Stati Uniti le occupazioni hanno inaugurato una nuova stagione, "l'autunno
americano", legata all'uso di nuovi strumenti media e a social network con cui coordinarsi ed estendere il movimento in tutti gli Usa e anche oltre. Mentre nuove occupazioni
nascevano, gli occupanti usavano Facebook e Twitter per
lanciare eventi e diffondere la voce. Siti come occupy-

together.com e meetup.com si sono dimostrati cruciali nel connettere partecipanti lontani consentendo loro di organizzarsi. D'improvviso le pagine Facebook intitolate al termine "occupazione" sono cresciute come funghi in tutti gli Stati Uniti mentre Google e Twitter definivano "trend" termini quali "Zuccotti" e "Ows" esaltando in questo modo l'interesse di massa nelle occupazioni.

Nella prima settimana di ottobre si sono materializzate occupazioni da Boston a Portland, da Memphis a Los Angeles, da Washington D.C. a Honolulu e in moltissimi centri minori. Questa proliferazione di occupazioni era sostenuta dall'infrastruttura online e istituzionale creata da Occupy Wall Street dalla base di Zuccotti Park. Il sito di fatto del movimento (benché non ufficiale), occupywallst.org, coordinava le azioni e offriva a coloro che non potevano recarsi a Lower Manhattan un posto in prima fila nelle assemblee generali, nelle dimostrazioni e nella vita quotidiana del parco attraverso la diretta in streaming. L'hashtag di Twitter, il sistema per etichettare messaggi, #needsoftheoccupiers, rendeva possibile ai supporter identificare e rispondere alle necessità degli occupanti dai luoghi più remoti – che si trattasse di ordinare una pizza da consegnare a Zuccotti o spedire libri per arricchire la biblioteca del movimento. Ma se il diffuso ed efficace uso dei social media rendeva in qualche modo il movimento efficiente e dinamico, la realtà sul campo di frequente era molto più caotica. Strumenti come Facebook e Twitter possono coordinare il consumo di notizie e dare una mano nello stabilire i punti di incontro, ma stabilire l'agenda, la priorità da dare agli eventi e facilitare discussioni era un affare complesso – modi di pensare differenti, personalità contrastanti, comunicazioni errate non infrequenti. Per molti attivisti che si recavano a Zuccotti Park per trarre ispirazione, sia in termini virtuali, sia di persona, insediare una occupazione poteva sembrare relativamente facile. Ma la costruzione di un movimento è una faccenda soggetta a molte condizioni.

Prendete come esempio gli inizi di Occupy Brooklyn. La questione avrebbe dovuto essere piuttosto semplice. Zuccotti Park si trovava a non più di un paio di chilometri dal più popoloso quartiere di New York. Brooklyn, inoltre, abbondava di problemi locali contro cui battersi: il controverso progetto Atlantic Yard, avviato nel febbraio del 2007, di recente aveva costretto residenti storici e commercianti ad abbandonare il quartiere; il numero dei pignoramenti era cresciuto in modo esponenziale e il tasso di povertà era senza precedenti. Fin dall'inizio di Ows, i manifestanti residenti a Brooklyn avevano espresso la volontà di dare inizio a una occupazione anche dall'altro lato dell'East River in modo da sollevare alcune delle questioni che stavano particolarmente a cuore agli abitanti nel quartiere. Numerosi attivisti avevano tentato di dare il via all'iniziativa, ma il problema era che non si conoscevano tra loro.

"Negli ultimi giorni di settembre alcuni di noi che si incontravano su Twitter hanno deciso di portare il messaggio di Occupy Wall Street a Brooklyn," ricorda Boris Nemich, organizzatore di Occupy Brooklyn. "In quella prima fase mancavamo di programmazione. Non appena abbiamo avuto un luogo in cui incontrarci, ho prodotto e distribuito volantini, inviato tweet, mi sono attivato nei confronti dei media e dei rappresentanti del sindacato, ho fatto tutto quello che era necessario per far crescere la consapevolezza sull'esistenza di Occupy Wall Street." Ma, ha aggiunto Boris, "lavorare con persone conosciute in rete, e mai di persona, produceva tensioni. La maggioranza di noi lavorava in modo indipendente dagli altri con poca collaborazione e comunicazione. La nostra attività in questo modo era inconcludente".

Il 13 ottobre, nel corso di una cena di attivisti del movimento a Manhattan, Boris ha annunciato che si sarebbe tenuta una assemblea generale di Brooklyn. Lui e un'altra ventina di residenti avevano formato un gruppo apripista che aveva l'obiettivo di coordinare a livello di quartiere coloro che si erano dimostrati interessati al movimento. Il morale era alto ma regnava la confusione. Membri del gruppo iniziale, tra cui Alessandra De Meo, Nani Mathews, Leo Goldberg e Kara Segal, hanno preso contatto con il gruppo di lavoro attività sul territorio e progettato volantini con cui promuovere la prima assemblea generale di Brooklyn che si sarebbe tenuta il 20 ottobre in uno spazio comunitario a Crown Heights, in Franklyn Avenue. Hanno infine distribuito volantini agli angoli delle strade nel quartiere e a Zuccotti Park.

La sera del 20 ottobre un centinaio di persone si è presentato nel luogo convenuto nel centro di Brooklyn dove un facilitatore, un anziano dai capelli colore del granito, Jeff, ha faticato a contenere l'energia cinetica che imperversava nella sala dove aleggiava un ininterrotto chiacchiericcio, ma un'austera attenzione era riservata al metodo di lavoro e all'agenda preparata in tutta fretta. Sono seguite discussioni infinite e la noia ha contribuito ad allontanare alcuni dei convenuti usciti scuotendo la testa in segno di frustrazione. Tre ore più tardi la sola decisione presa era stata quella di nominare un comitato che indicasse la data e il luogo dell'incontro successivo. Eppure Alessandra De Meo, una degli organizzatori, da tempo residente a Brooklyn, considerava la prima assemblea un successo. "Mi sentivo sollevata, eccitata, frustrata, arrabbiata e anche un po' preoccupata," ha detto.

***

Una lettera da Pacific Northwest di David Osborn, uno dei primi organizzatori di Occupy Portland:

Il 25 settembre un piccolo gruppo di persone si è incontrato alla libreria Powell per discutere della convocazione della prima assemblea generale di Portland. Il 30 settembre due o trecento persone hanno risposto all'appello e si sono incontrate al Waterfront Park. Questo incontro ha dato il via a un processo che avrebbe in seguito mobilitato decine di migliaia di persone facendo entrare Portland di diritto nell'emergente movimento delle occupazioni. La diffusione del movimento a Portland, Seattle e in altre città della costa occidentale ha preso slancio nella settimana successiva al 17 settembre, esordio di Occupy Wall Street.

Dopo due sole assemblee generali e meno di una settimana di attività, diecimila cittadini di Portland si sono radunati al Waterfront Park il pomeriggio del 6 ottobre in solidarietà con Occupy Wall Street. La folla ha marciato verso Pioneer Square prima di arrivare a Chapman Square e Lownesdale Square occupate da 400 persone per trentotto giorni prima di essere sgomberate. Lo sgombero è avvenuto dopo una notte di eccezionale resistenza in cui una folla di circa diecimila persone ha resistito ritardando di dieci ore oltre il termine massimo delle 12.01. Il movimento non era che all'inizio. Quattro giorni dopo, il 17 novembre, gli abitanti di Portland si sono uniti ai manifestanti nel resto del paese nell'iniziativa Occupy the Banks in cui migliaia di partecipanti hanno impedito l'accesso allo Steel Bridge e agli istituti bancari in tutta la città con atti di disobbedienza civile terminati con quarantasei arresti.

Nell'ultima settimana di novembre il movimento si era propagato nell'intera città. Erano nate assemblee di quartiere, nuove relazioni con organizzazioni sindacali, gruppi religiosi e organizzazioni comunitarie erano state intessute ed era in corso un vivace dibattito su profitto, avidità, crisi economica e il ruolo delle corporation a Portland e nell'intero paese.

La prima assemblea generale a Brooklyn eguagliava senza dubbio gli iniziali raduni di molte occupazioni in tutto il paese – dove persone che non si conoscevano, non tutte edotte sui processi decisionali orizzontali e le procedure frequentemente tediose che accompagnano il format dell'assemblea generale, si radunavano per dibattere delle loro profonde frustrazioni e delle possibili soluzioni. "La gente a Brooklyn non ha aderito tutta insieme al movimento come a Manhattan," ha detto Alessandra. "Le prime assemblee generali a Zuccotti Park erano composte da gruppi di persone omogenee. Mentre a Brooklyn persone diverse tra loro cercavano di seguire un modello che non avevano ancora acquisito come proprio." Le cose in seguito sono migliorate e Occupy Brooklyn ha cominciato a camminare con le proprie gambe definendo gruppi di lavoro e obiettivi.

I successi o i fallimenti del movimento in fase di espansione erano di frequente determinati dall'abilità degli organizzatori di adattarsi alle condizioni locali e di articolare temi localmente rilevanti. Questo valeva per il movimento su scala mondiale. I ciprioti hanno occupato l'area cuscinetto controllata dalle Nazioni Unite a Nicosia chiedendo la cessazione della decennale divisione dell'isola; gli italiani, infuriati contro la Commissione europea, la Banca centrale europea e il Fondo monetario internazionale – tre istituzioni ritenute colpevoli dell'attuale crisi economica europea – hanno conquistato le piazze di Roma; i sindacati della Mongolia hanno usato il movimento come strumento con cui contestare gli elevati tassi di interesse bancario; gli espropriati neozelandesi hanno montato le loro tende di fianco alle abitazioni abbattute; i manifestanti di Las Vegas scommettono sulla notorietà del movimento per salvare le piccole attività locali dal rischio pignoramento; i dimostranti di St. Louis scelgono un metodo consolidato di lotta forgiando alleanze con sindacati locali e organizzando scioperi.

Con alle spalle una lunga storia di organizzazione radicale e di protesta sociale, Oakland è ben presto emersa come l'epicentro del movimento nella West Coast. Chiamato l'accampamento originale Oscar Grant Plaza – dal nome di un giovane di Oakland ucciso con un colpo alla schiena dall'agente Johannes Mehserle nel Bay Area Rapid Transit District (Bart) il giorno di Capodanno 2009 –, Occupy Oakland ha predisposto il movimento locale in diretta opposizione alla lunga storia di violenza e repressione della polizia della città. Gli agenti locali hanno risposto con modalità che hanno involontariamente rafforzato la denuncia della endemica brutalità delle forze dell'ordine nella città avanzata dagli occupanti. Il campo di Oakland è stato uno dei primi a essere assalito dalla polizia la sera del 25 ottobre. Nel corso dello sgombero gli agenti hanno sparato lacrimogeni ad altezza uomo ferendo gravemente alla testa il veterano della guerra in Iraq e occupante Scott Olsen. Mentre Olsen giaceva sanguinante a terra nei pressi delle transenne e gli altri manifestanti si avvicinavano per prestargli soccorso, un altro agente ha lanciato una granata disperdendo coloro che erano accorsi in suo aiuto. Le immagini dell'accaduto, circolate su YouTube, hanno sollevato l'indignazione nazionale. Due giorni dopo i manifestanti rioccupavano Oscar Grant Plaza e una assemblea generale di duemila persone proclamava per il 2 novembre uno "sciopero generale" in solidarietà con Olsen e contro le violenze della polizia.

Erano circa sessant'anni che negli Stati Uniti non veniva proclamato uno sciopero generale e nessuno sapeva che cosa sarebbe potuto accadere. Nonostante la protesta non abbia paralizzato completamente la città, ha raccolto l'incondizionato sostegno di studenti, lavoratori, sindacati e perfino di piccoli commercianti, alcuni dei quali hanno chiuso bottega in segno di solidarietà. Migliaia di dimostranti hanno attraversato il centro di Oakland e sono confluiti nel tardo pomeriggio verso il porto e, con la tacita solidarietà dei portuali della Ilwu e dei trasportatori indipendenti, lo hanno bloccato. Il successo dello sciopero di Oakland ha rinvigorito gli attivisti nell'intero paese e nel resto del mondo innescando azioni di solidarietà da parte degli occupanti di New York e in altri luoghi e dando a molti la concreta idea di quello che è possibile realizzare e della forza del 99 per cento. In generale, l'occupazione di Oakland e il suo successo hanno contribuito a stimolare il dibattito negli accampamenti e nel paese sull'espansione delle strategie del movimento – dall'occupazione di nuovi spazi, come le abitazioni pignorate, ai costi e benefici della "distruzione della proprietà", come graffiti ed effrazione di porte e finestre.

***

Un dispaccio dal Midwest da parte di Dan la Botz, organizzatore di Occupy Cincinnati:

Nel tentativo di raggiungere la massa critica gli attivisti di Cincinnati hanno deciso di iniziare una occupazione in autonomia. Nelle due settimane di occupazione di Zuccotti Park a New York, il movimento Occupy Wall Street aveva attirato l'attenzione degli attivisti di Cincinnati. Un gruppo di membri di Ong del quartiere di Over-the-Rhine, storici attivisti radicali e semplici cittadini di Cincinnati, hanno cominciato a discutere l'idea di insediare Occupy Cincinnati, sia in solidarietà con Occupy Wall Street, sia per contrastare la cementificazione di Over-the-Rhine.

Il movimento ha avuto inizio l'8 ottobre con una marcia di 800 persone da Lytle Park a Fountain Square nel centro della città. La notte una decina di persone è rimasta in Fountain Square, nonostante la minaccia d'arresto della polizia. Decine di altri manifestanti hanno marciato intorno alla piazza per tutta la notte in segno di solidarietà e al mattino l'occupazione è continuata. Il giorno successivo, Occupy Cincinnati si è trasferita nel vicino Piatt Park, ha montato le tende e ha inaugurato l'occupazione tenendo un'assemblea generale riaggiornata ogni pomeriggio alle 6. Da Piatt Park gli occupanti hanno lanciato marce e azioni contro la Fifth Third Bank e i politici locali.

Il 9 ottobre la polizia ha cominciato a distribuire ammende di 105 dollari l'una a coloro che restavano nel parco dopo le 22, emettendo un totale di duecentocinquantatré multe. In risposta, il 17 ottobre quattro querelanti e Occupy Cincinnati hanno intrapreso un'azione legale per violazione dei diritti civili, la prima nel paese che si appellava al diritto di riunione e parole garantito dal Primo emendamento. Alcuni giorni dopo l'inizio dell'azione legale, il Cincinnati Park Board ha emendato le proprie regole in funzione del vizio costituzionale rimarcato nella denuncia di Occupy e subito dopo la polizia ha dato il via agli arresti dei manifestanti, sessanta in totale, rimasti in Piatt Park e di altri che avevano occupato di nuovo Fountain Square. Occupy Cincinnati ha continuato nell'azione legale contestando la costituzionalità degli arresti e delle convocazioni in tribunale.

Sebbene le occupazioni di New York e Oakland abbiano conquistato le prime pagine dei giornali, la crescita del movimento è stata in gran parte registrata nelle piccole cittadine e nei paesi – Las Cruces (New Mexico), Cedar Rapids (Iowa) e Providence (Rhode Island) sono solo tre esempi – oltre che in piccole occupazioni nelle grandi città. Phoenix, Arizona è un esempio particolarmente illuminante di questo fenomeno. Il 14 ottobre 2011 duecento manifestanti circa hanno organizzato una "marcia pre-occupazione" attraverso il distretto finanziario nel centro città. Come le loro controparti costiere, anche i manifestanti di Phoenix cantavano: "We are the 99 percent!" e innalzavano cartelli su cui era scritto: "Gli speculatori hanno rubato le nostre case", e "La Bank of Me necessita di una manovra di salvataggio". La marcia faceva delle soste formando di tanto in tanto picchetti davanti a filiali della Chase Bank, della Bank of America e di Wells Fargo, prima di bivaccare in César Chávez Plaza, ai piedi del municipio, dove i manifestanti hanno celebrato il Global Day of Change. Il numero dei dimostranti è cresciuto il giorno successivo e nonostante molti di loro siano tornati a casa dopo il crepuscolo, quelli rimasti hanno proseguito l'occupazione contestando un'ordinanza cittadina che proibisce accampamenti negli spazi pubblici. Questi pochi coraggiosi rappresentavano una minoranza dei sostenitori del movimento in città, secondo una delle organizzatrici. "Il movimento a Phoenix è in gran parte composto da quelli che noi chiamiamo 'Cyber99' o gente che non può occupare fisicamente la piazza," dice. La condizione di stato soggetto alla legge Right to Work rende l'Arizona un luogo in cui il datore di lavoro può licenziare il dipendente senza giusta causa. Per questa ragione in molti "erano riluttanti a essere fisicamente presenti". Questa condizione rende "pressoché impossibile una 'vera' occupazione a Phoenix", si lamenta l'organizzatrice. Le leggi avverse ai lavoratori e un elettorato di destra complicano lo sforzo del movimento di raggiungere la massa critica necessaria all'efficacia politica.

Ma nemmeno le ordinanze locali e un clima politico sfavorevole hanno impedito agli occupanti residenti in piccoli centri urbani di provarci. I manifestanti di Missoula, Montana, per esempio, hanno compiuto un gesto virtuoso quando hanno accettato di sospendere temporaneamente l'occupazione in onore del Veteran Day e di una celebrazione in loco programmata da tempo. Una volta terminata, però, agenti di polizia hanno comunicato loro che il campo era ridotto a un piccolo gazebo e che se non avessero obbedito sarebbero stati arrestati. Quando in un primo momento hanno deciso di attenersi alle nuove limitazioni, il giornale locale li ha definiti "arrendevoli". Gli avvocati del movimento hanno dato il via a un'azione legale e la contea è tornata sui suoi passi consentendo all'accampamento di restare nella forma originale. In una lettera aperta pubblicata online, una occupante di Missoula, Tara Hart, ha detto che "la cosa divertente" è stata che "prima del subdolo tentativo di sgombero stavamo seriamente pensando di smontare l'accampamento – niente soldi, poche tende, e solo una piccola stufa elettrica parzialmente funzionante. Ma questo ambiguo tentativo di liberarsi di noi ci ha uniti più che mai e nella nostra ultima assemblea generale abbiamo deciso all'unanimità di accamparci di nuovo. Non sappiamo ancora come ce la caveremo, ma il nostro è stato un atto di fede. In vita mia non sono mai stata così orgogliosa di fare parte di qualcosa".

I media occupati

> Occupy Wall Street non è stato un fenomeno mediatico, era, ed è, una combustione comunitaria a cui è capitato di avere molte telecamere puntate addosso.
>
> *David Carr, editorialista del "New York Times"*

Prima è stato un blackout pressoché totale. Poi una confusa, universale saturazione. Nel tempo i media hanno di volta in volta fatto del sensazionalismo, affibbiato epiteti ingiuriosi, idolatrato, messo al bando, denunciato e abbracciato il nascente movimento. La copertura mainstream di Occupy Wall Street è stata una bestia cocciuta e incostante.

Le stazioni radiotelevisive si sono sforzate di costruire una precisa narrativa intorno a Ows, mentre i canali conservatori e i cosiddetti "esperti radiofonici" lo hanno combattuto senza indugi. I giornalisti che se ne sono occupati sono stati attaccati di frequente, arrestati o è stato impedito loro di fare il proprio mestiere e alcuni così facendo hanno perso il lavoro, avendo evidentemente aderito in modo eccessivo, secondo i gusti dei datori di lavoro, all'attivismo cui si erano interessati. In altri termini, il movimento Occupy non ha fatto altro che testare gli standard assoluti del vero giornalismo in una società moderna e libera.

Le relazioni notoriamente difficili del movimento con la stampa sono nate insieme con l'iniziale, inauspicata protesta del 17 settembre 2011. Nonostante avesse attirato circa un migliaio di persone a Lower Manhattan in un vivace corteo verso il distretto finanziario, la prima azione di Occupy Wall Street si era svolta nel completo disinteresse dei media mainstream. Una menzione in un paio di quotidiani, un post in una rubrica del "New York Times". Nient'altro. Anche se gruppi di manifestanti montavano tende a Zuccotti Park e cominciavano ad allestire quello che sarebbe diventato l'accampamento, poche testate prestavano attenzione a quanto avveniva. Le telecamere e i furgoni delle news latitavano mentre aumentavano le dimostrazioni e i manifestanti crescevano di numero. Le notizie sul movimento invece si propagavano nella blogosfera e con il passaparola. Michael Moore e Roseanne Barr visitavano Zuccotti Park contribuendo a dare rilievo all'occupazione. Ma in generale regnava il silenzio.

Moore era andato al *Rachel Maddow Show* a lamentarsi del blackout dei media.

"La gente in questo momento è accampata a Wall Street," ha detto. "Ma non si dà nemmeno notizia di questa protesta. E questo succede ogni volta che in ballo sono i liberal e la sinistra. Sono del tutto ignorati."

Qualche giorno dopo, Keith Olbermann aveva dedicato all'occupazione un segmento di *Countdown* su Current Tv e una manciata di articoli era apparsa su blog e media di sinistra. Eppure, a parte che per i circoli liberal, Occupy Wall Street era inesistente. Prima del 26 settembre e dell'ormai tristemente famoso episodio del poliziotto che spruzza spray al peperoncino sul volto di una ragazza a Portland durante una manifestazione del movimento, la copertura di Ows non era nemmeno rientrata nel radar del Pew Research Center.

Non solo tutto questo indispettiva gli attivisti, ma coinvolgeva anche meno sostenitori, che avrebbero scoperto il movimento da fonti non convenzionali. Su Twitter proliferavano gli hashtag #Ows e #OCCUPYWALLST che lamentavano la mancanza di copertura e i lettori cominciavano a bombardare i giornali di riferimento, rimproverandoli di ignorare l'occupazione. La tendenza dei media a non prendere in considerazione Ows era diventata una notizia di per sé. La National Public Radio (Npr) avrebbe in seguito dedicato un intero programma all'argomento raccontando le ragioni della mancata copertura. In un articolo intitolato *Newsworthy? Determining the Importance of the Protests on*

Wall Street, il capocronista Dick Meyer ha voluto giustificare l'assenza di notizie su Ows durante la sua prima settimana di esistenza: "Le recenti proteste di Wall Street non hanno coinvolto un numero cospicuo di persone, persone di primo piano, non hanno rappresentato una spaccatura rilevante né hanno mostrato un obiettivo chiaro". Una serie di commenti online apparsi subito dopo sottolineavano che Npr aveva coperto le prime adunate del Tea Party cui era presente una quarantina di persone.

Purtroppo non sono stati né il sostegno di celebrità, né la critica progressista a cambiare le cose ma, come spesso tristemente accade in casi di movimenti di protesta, la brutalità della polizia. La notizia che ottanta manifestanti erano stati arrestati durante un corteo pacifico in Union Square, e l'impressionante video di quattro ragazze colpite duramente e senza motivo con spray irritante al peperoncino mentre si trovavano in stato di fermo circondate da agenti, hanno catapultato Occupy Wall Street nel circuito dell'informazione. I media sono stati lasciati soli a cimentarsi con il tentativo di chiarire che cosa fosse accaduto e perché; quale fosse la ragione che aveva spinto centinaia di giovani studenti ad affrontare poliziotti aggressivi e pesanti condizioni di vita pur di marciare intorno a Wall Street e accamparsi in un parco. Hanno ascoltato gli occupanti discutere di disuguaglianze di reddito e dell'avidità delle corporation; non hanno avuto altra scelta se non registrare e ritrasmettere brani del messaggio del movimento.

I media dunque sono stati costretti a valutare il movimento, a ricavare un intreccio narrativo dagli elementi disparati che avevano a disposizione. Esperti e opinionisti hanno cominciato a interrogarsi sul movimento, su chi lo sostenesse, su chi fossero i suoi portavoce e quali le sue richieste. La definizione data del movimento di un "Tea Party della sinistra" era il massimo cui commentatori di Cnn, Fox e Nbc riuscivano a fare appello.

Molta della copertura iniziale – e non solo quella della Fox News – era o assolutamente condiscendente o prendeva in scarsa considerazione il movimento. Erin Burnett della Cnn irrideva le proteste in un canzonatorio servizio intitolato *Seriously, Protester!?* nel quale diceva: "Per che cosa stanno protestando? Nessuno ne capisce il motivo!" prima di banalizzare tutto quello che aveva visto a Zuccotti Park. Uno dei primi articoli sulla protesta del "New York Times", *Gunning for Wall Street with Faulty Aim*, adottava un tono simile. Nell'articolo Gina Belafonte "documentava" il "vuoto intellettuale" di Ows, "la mancanza di coesione del gruppo e la sua apparente volontà di recitare una pantomima del progressismo invece che praticarlo", e rigettava l'occupazione definendola "l'opportunità di ridurre il risentimento sociale in un carnevale".

Ma il movimento esprimeva troppi momenti comunitari perché il pubblico, nonostante il dileggio degli eruditi da tavolino, perdesse interesse nei suoi confronti. La retata di settecento manifestanti sul Ponte di Brooklyn, a cui aveva fatto seguito una marcia sostenuta dal sindacato con quasi ventimila persone a Foley Square, dimostrava senza ombra di dubbio che il movimento stava crescendo e la fin lì sporadica attenzione dei media si è trasformata in un diluvio continuo di informazioni, con furgoni delle tv stabilmente presenti nelle vicinanze di Zuccotti Park.

Il 6 ottobre, l'attore comico Jon Stewart diceva che i media "erano passati dal 'blackout' al 'circo', ma queste sono le uniche due posizioni che conoscono". Occupy Wall Street così è finita a piedi uniti nello Zeitgeist culturale, in un mare di mezzibusti, carta stampata e copertine di riviste. Il movimento è diventato argomento di conversazioni a tavola, discussioni tra padri e figli e chiacchiere serali nei dormitori universitari dell'intero paese.

Le organizzazioni mediatiche scavano affamate di notizie e inviano a Zuccotti Park giornalisti con il compito di trovare risposte a domande che continuano a restare inevase. Come si organizzano? Come fanno a mangiare, dormire, andare in bagno? Com'è possibile che non ci siano leader? E come mai non hanno ancora avanzato richieste?

Mentre i media cercavano di dare un senso all'idea che, ebbene sì, una coalizione diversa può protestare contro le diseguaglianze di reddito e la crescente avidità di Wall Street senza una specifica piattaforma politica, Occupy diventava a pieno ritmo un meme culturale. Il termine Ows cominciava a pervadere il dibattito nazionale e a metastatizzare in un sinonimo contemporaneo del termine "protesta". Sostenitori dell'energia pulita, per esempio, lanciavano Occupy Rooftops con l'obiettivo di promuovere l'energia solare, e gruppi di ambientalisti pescavano dall'estetica di Occupy così da radunare dodicimila manifestanti per una protesta davanti alla Casa Bianca. In termini meno seri, il meme "Occupy" ha proliferato online – i fan del calcio hanno inaugurato "Occupy the Couch", la rivolta è diventata virale grazie a una decina di pupazzi con "Occupy Sesame Street" e "Occupy the Url" ha riempito gli schermi dei computer portatili con immagini di manifestanti digitali.

Le stazioni radiotelevisive intanto continuavano l'abbuffata: cavalcavano storie di interesse umano sulla vita nel campo, vivevano la quotidianità dei dimostranti, e, ossessionati dalle espressioni artistiche e dallo stile degli attivisti, tracciavano profili degli occupanti. Durante la seconda settimana di ottobre a Occupy Wall Street era riservata il 10 per cento della copertura giornalistica nazionale. Il movimento aveva indubbiamente cominciato a fluire nelle vene della nazione, ma sembrava che giornalisti e conduttori televisivi facessero più fatica dell'americano medio a dare un senso a Ows.

Le testate conservatrici non avevano invece difficoltà a confezionare una narrazione personale sul movimento. Fox News, la blogosfera di destra ed eminenze grigie radiofoniche come Rush Limbaugh si sono gettati violentemente sul movimento facendosi in quattro per discreditare Ows concentrando l'attenzione su alcune figure marginali che circolavano nel parco, fabbricando storie di supposti comportamenti criminali e sostenendo che l'intera faccenda fosse finanziata dai democratici e rientrasse nella campagna per la rielezione di Obama.

In uno di questi episodi, Sean Hannity ha offerto un disgustoso ritratto dell'occupazione a beneficio dei telespettatori di Fox News: "L'immondizia è ovunque. Il 'New York Post' descrive scene in cui è venduta droga e persone urinano e defecano in pubblico. Esiste a questo proposito una fotografia pubblicata dal 'Daily Mail' in cui un ragazzo usa un'automobile della polizia come latrina. È qualcosa di incredibile. Distribuiscono preservativi, praticano il sesso libero e le droghe sono facilmente reperibili". La fotografia in questione pubblicata dal "Daily Mail" è ampiamente circolata sui blog della destra in un tentativo di discreditare la protesta, ma i supposti legami con Ows di quell'uomo arruffato ritratto nell'immagine non sono mai stati dimostrati.

Ad annichilire perfino la Fox ci ha pensato, però, com'era prevedibile, Rush Limbaugh rivelando nel suo programma radiofonico che "questa storia è tutta una montatura del complesso mediatico e industriale democratico". Karl Rove ha descritto i dimostranti come un "gruppo di fanatici, lunatici e fascisti", e l'ospite della Fox Gregg Gutfield ha definito Ows "un branco di debosciati".

Ma la denigrazione finisce molto spesso per ritorcersi contro chi ne fa uso. Così, Fox News è stata ridicolizzata dopo avere deciso di non mandare in onda un'intervista a Jesse LaGreca, un manifestante che attacca duramente l'emittente trasformandosi in questo modo in una delle prime, per quanto non ufficiali, star mediatizzate del movimento. "È divertente parlare con la macchina della propaganda mediatica," ha detto LaGreca a un produttore dello show di Greta Van Sustren. "In particolare a un network conservatore come il vostro. Perché così facendo scopriamo che non si può parlare dell'indagine che ha in corso il dipartimento di Giustizia sulla News Corporation, di cui lei è un impiegato. Ma possiamo di certo porre domande come le sue sul perché dei poveri siano impegnati nella lotta di classe."

Ci sono stati però anche giornalisti che hanno tentato di ritrarre il movimento in un modo più accurato. E alcuni di loro hanno varcato la barricata simpatizzando apertamente con le proteste di cui scrivevano. Quelli che lo hanno fatto spesso hanno pagato un costo elevato. Natasha Lennard, una freelance del "New York Times" che ha narrato il proprio arresto sul Ponte di Brooklyn, è stata licenziata con la motivazione di essersi fatta portavoce del movimento. Due collaboratori della National Public Radio hanno perso il lavoro per avere partecipato a Ows, nonostante il loro coinvolgimento fosse stato marginale. Lisa Simeone, curatrice dell'apolitico *World of Opera*, è stata punita dalla Npr con il blocco della vendita dei diritti della sua opera per avere sostenuto il movimento. Caitlin Curran, una giornalista freelance di *The Takeaway*, anatomia di un notiziario radiofonico prodotto dalla New York Public Radio (Wnyc/Pri), è stata licenziata dopo che una fotografia in cui era ritratta mentre reggeva un cartello del fidanzato pro Ows è circolata online.

Sia la Lennard, sia la Curran hanno potuto condividere le loro storie su media non tradizionali. Il post della Curran, "How Occupy Wall Street Cost Me My Job" su "Gawker", ha registrato quasi duecentomila contatti. E la Lennard ha scritto un articolo per "Salon" in cui raccontava come le linee guida arbitrarie di quello che può essere trasmesso nei media mainstream l'avevano convinta a rinunciare del tutto a quelle istituzioni. "Nel fare parte di questa macchina ho constatato la presenza di troppi problemi nello stabilire che cosa sia o non sia una notizia – o di che cosa abbia la dignità di una notizia secondo loro."

La copertura mediatica di Ows ha raggiunto un livello straordinario a metà novembre con lo sgombero di Zuccotti Park e il proditorio attacco della polizia nell'Università di California a Davis con lo spray urticante al peperoncino spruzzato a iosa su studenti inermi. Nel rapporto del Pew Research Center, Project for Excellence in Journalism, è scritto: "Nella settimana compresa tra il 14 e il 20 novembre le notizie su Occupy Wall Street hanno rappresentato il 13 per cento del totale dell'informazione nei notiziari".

In questi notiziari non si parlava unicamente di sgomberi e di scontri con la polizia ma di temi economici e del messaggio lanciato dal movimento sulle disuguaglianze di reddito e l'avidità delle corporation. Nel produrre un approccio che evitava il classico confronto televisivo dall'alto in basso, con brevi brani estrapolati centrati su argomenti topici, il movimento ha nondimeno cercato di diffondere nella nazione e nel resto del mondo il potente messaggio sulla maniera in cui il sistema economico non serve più le necessità del 99 per cento della popolazione.

Forse è stato grazie all'evidente autenticità di un movimento che ha rigettato il concetto dei portavoce e della montatura giornalistica se il messaggio si è diffuso in modo così potente. "Occupy Wall Street non è stato un fenomeno mediatico," ha scritto l'editorialista del "New York Times" David Carr, il 20 novembre 2011, "era, ed è, una combustione comunitaria cui è capitato di avere molte telecamere puntate addosso."

Queste telecamere non erano tuttavia presenti durante l'operazione in stile militare con cui nelle prime ore del 15 novembre Zuccotti Park è stato sgomberato. Era stato impedito ai giornalisti di avvicinarsi chiudendo perfino lo spazio aereo sopra al parco. Il sindaco Bloomberg ha definito questa decisione "un tentativo di proteggere la stampa" dal raid che lui stesso aveva ordinato. In questo modo, una occupazione iniziata in un totale blackout mediatico si concludeva nel pieno di un altro.

Lo sgombero

Prova microfono! PROVA MICROFONO! Qui sta accadendo qualcosa di orribile! QUI STA AC-CADENDO QUALCOSA DI ORRIBILE!

Microfono umano, Zuccotti Park, ore 2 del 15 novembre

Alle 0.45 del 15 novembre era tutto calmo e immobile a Zuccotti Park. La luna splendeva in un cielo leggermente velato e gli occupanti erano accalcati nelle tende al riparo dall'aria gelida. Fuori dall'accampamento intanto, tra il rumore degli anfibi trascinati sull'asfalto, frotte di poliziotti in equipaggiamento antisommossa prendevano posizione. Poi all'improvviso le fotoelettriche hanno illuminato a giorno l'accampamento svegliando anche chi era immerso nel sonno più profondo. Nel frattempo dagli altoparlanti usciva a tutto volume un messaggio registrato mentre gli agenti intimavano ai presenti di sgomberare immediatamente l'area.

La notizia ha raggiunto alle 0.59 gli occupanti che non dormivano a Zuccotti Park, li ha colti nel sonno, o nel pieno di conversazioni, o ancora immersi in letture o nella visione di video in streaming, costringendoli, vestiti o in pigiama che fossero, ad alzarsi dal letto o dal divano e a sgranare gli occhi sullo schermo del cellulare che brillava nell'ora tarda della notte.

"Occupy New York. URGENTE: centinaia di agenti di polizia mobilitati intorno a Zuccotti Park. Sgombero in atto!"

Hanno allora cominciato ad arrivare in tutta fretta dai punti più disparati della città, uno a uno, due a due, in gruppi, a centinaia. In molti a piedi, attraversando il Ponte di Brooklyn, alcuni in bicicletta, altri in metropolitana, qualcuno in taxi. Nell'arco di un'ora dalla iniziale chiamata, radunati sul lato nord di Zuccotti Park, hanno trovato ad accoglierli decine di poliziotti e le transenne in Cortland Street – abbastanza vicini da vedere l'enorme massa della Cosa rossa, nell'angolo sudorientale del parco, ma troppo lontani per testimoniare quello che accadeva all'interno.

Un gruppo di ciclisti aveva ricevuto una chiamata poco prima della mezzanotte, proprio mentre la loro riunione era sul punto di terminare. "In East River Park c'è una concentrazione mostruosa di poliziotti," aveva detto chi telefonava, e un gruppo era corso là. Le voci di un raid si erano rincorse per settimane ed erano consapevoli di che cosa significasse quella abnorme concentrazione di agenti. Nel recarsi in centro erano passati accanto a centinaia di poliziotti assembrati nei pressi di Maiden Lane. Quando sono arrivati a Zuccotti Park non c'era più un buco in cui parcheggiare. Qualcuno aveva cercato di legare la bicicletta sulla Broadway, ma, rivolto a un ragazzo, un poliziotto aveva detto, "non mi fermerei qui se fossi in te, dai un'occhiata in giro". E mentre la polizia circondava il parco illuminandolo a giorno, quell'agente antisommossa con un bastone in mano apparso all'attivista voleva dire una sola cosa: lo sgombero era iniziato.

Dentro intanto gli agenti urlavano nei megafoni: "Uscite, per favore," distribuendo volantini in cui era spiegato che dovevano "liberare" il parco. "Quale parco? Il nostro parco?" rispondeva la folla, mentre qualcuno cominciava a raccogliere le proprie cose. Molti ricordano una sensazione di disorientamento dovuto all'uso di congegni che emettevano un suono stordente.

Una filmmaker stava facendo delle riprese in Cedar Street, di fronte al parco, quando un poliziotto le ha detto: "Per la sua sicurezza, le chiediamo di andarsene". La giornalista Barbara Ross ha allora risposto: "Non vedo perché dovrei andarmene. Non ho paura, non sono di impiccio e conosco i miei diritti". Nelle due ore successive ha ripreso poliziotti che usavano le maniere forti sui manifestanti, devastavano libri, distruggevano lo spazio sacro e demolivano completamente l'accampamento costruito in due lunghi mesi. Infine, due agenti donne l'hanno costretta oltre le transenne di Trinity Place, da dove non ha più potuto testimoniare le devastazioni.

La polizia ha cintato il parco: all'1 non è stato consentito più a nessuno superare le transenne. Un muro di agenti antisommossa che circondava il parco ha allontanato un capannello di curiosi a un isolato di distanza, all'incrocio tra Liberty Street e Broadway, da dove non potevano assistere alla distruzione. Il "New York Times" e altri media avevano tentato di introdursi nel parco prima del raid, ma gli agenti alle transenne avevano respinto chi non aveva credenziali stampa della Nypd. La polizia ha arrestato sei giornalisti impedendo a numerosi altri l'accesso o di testimoniare la scena. Intanto un uomo di una certa età che esibiva il berretto verde di "Legal Observer" della National Lawyers' Guild, sosteneva che il raid violava non solo il diritto di riunione tutelato dal Primo emendamento, ma anche il diritto di testimoniare, dato che la polizia aveva posizionato strategicamente le transenne in modo da evitare occhi indiscreti.

Un gruppo di ciclisti, nella speranza di mettere in salvo i generatori alimentati manualmente installati dal comitato sostenibilità settimane prima del raid, ha tentato di superare il muro di polizia ma è stato respinto. Uno di loro è stato arrestato. Mentre la folla aumentava e veicoli della nettezza urbana andavano avanti e indietro, la polizia faceva ampio uso di spray al peperoncino su manifestanti e giornalisti. "Muoversi! Muoversi! Muoversi!" urlava una falange di agenti in elmetto e sfollagente spingendo letteralmente la folla a nord, verso Fulton Street, dove erano state collocate nuove transenne. La folla aveva cominciato a scandire slogan: "Vergogna! Vergogna! Vergogna!" e "Questa è una protesta pacifica!". Ma l'avanzare del muro di polizia e i congegni che emettevano un suono stordente confondevano e disorientavano i manifestanti che potevano solo intuire quello che accadeva nel parco. "La cosa più sconvolgente era vedere sradicare le tende," diceva fra sé e sé una donna abbandonando il parco, il sacco a pelo in mano. "Prova microfono! PROVA MICROFONO!

Qui sta accadendo qualcosa di orribile! QUI STA ACCADENDO QUALCOSA DI ORRIBILE!" urlava qualcuno usando le voci della folla per ampliare la propria. "Quand'è che vi deciderete a difendere la gente, ragazzi?" chiedeva un uomo a un agente. "Fanno il loro lavoro di distruttori della democrazia," rispondeva un fotografo, mentre la polizia bloccava un'altra via di accesso al parco. "Credo che in questo modo finiranno per chiudere la città," ha detto un uomo. "Ormai hanno paralizzato Broadway. Saranno cinquecento le persone in strada adesso!"

"La strada di chi? La nostra strada!" urlava qualcuno. "Siamo il 99 per cento!" vociava un altro gruppo, bloccando il traffico. La polizia ha trascorso il resto della notte a respingere la gente, impedendo loro perfino di occupare i marciapiedi. Quando gli è stato chiesto che cosa accadesse dall'altra parte delle transenne, un ufficiale ha risposto: "Stanno ripulendo Zuccotti Park... Sono lì da due mesi". Era "ora che se ne andassero," ha aggiunto un altro. "Ordini a cui obbedire?" ha chiesto un attivista. "Già," ha risposto l'agente. "Come hanno fatto i nazisti?" ha chiesto l'attivista. "Già," ha ripetuto l'agente in modo prosaico.

Dopo che un centinaio di persone si era radunato, una giovane voce d'uomo ha urlato: "Prova microfono! PROVA MICROFONO! Prova microfono! PROVA MICROFONO! Stiamo per radunarci! STIAMO PER RADUNARCI! Al municipio! AL MUNICIPIO! Piano di riserva! PIANO DI RISERVA! Foley Square! FOLEY SQUARE! Dobbiamo restare uniti! DOBBIAMO RESTARE UNITI! In questo modo possiamo marciare in forze! IN QUESTO MODO POSSIAMO MARCIARE IN FORZE! Grazie! GRAZIE!". Da qualche parte qualcuno nella folla ha urlato: "Andiamo!" e la massa si è avviata lungo la Broadway al canto di "All day! All week! Occupy Wall Street!", poi "We! Are! The 99 per cent!", prima di intonare l'antifona "Di chi è la strada? È nostra la strada!".

I canti hanno ben presto cominciato a echeggiare sulle mura del municipio, mentre l'urlo delle sirene e delle pale degli elicotteri creava una cacofonica colonna sonora alla marcia improvvisata. Da Broadway i manifestanti hanno virato su Chamber Street procedendo lungo Lafayette in direzione di Foley Square, il luogo in cui il 5 ottobre si era svolta la massiccia manifestazione su comunità e lavoro che aveva rafforzato il movimento. In risposta la polizia ha mandato sul posto una decina di cellulari con lampeggianti accesi carichi di agenti. La carovana di polizia si è fermata lungo Chamber Street mentre i dimostranti procedevano in disordine, in direzione di Lafayette e decine di agenti entravano dietro di loro a Foley manganelli alla mano.

I manifestanti all'interno di Foley Square hanno cominciato a chiedersi quale fosse la mossa successiva da fare, mentre la polizia in tenuta antisommossa chiudeva l'accesso alle strade adiacenti. Appollaiato in cima alla fontana della piazza, un dimostrante urlava: "Prova microfono! PROVA MICROFONO! Okay! Se restiamo qui, SE RESTIAMO QUI! Siamo nelle mani della polizia, SIAMO NELLE MANI DELLA POLIZIA! Se continuiamo a muoverci, SE CONTINUIAMO A MUOVERCI! Diventiamo imprevedibili! DIVENTIAMO IMPREVEDIBILI! Credo che dovremmo continuare a muoverci! CREDO CHE DOVREMMO CONTINUARE A MUOVERCI! Salvo che non dobbiate portarvi le tende con voi! SALVO CHE NON DOBBIATE PORTARVI LE TENDE CON VOI!".

Una volta terminato l'appello, un asciutto annuncio di servizio ha comunicato il numero telefonico della National Lawyers' Guild, che molti manifestanti si sono appuntati a penna o a pennarello sul braccio. E al termine di un breve dibattito pubblico se restare o andare, circa metà della folla si è messa in fila verso l'uscita del parco in direzione di Worth Street, prima di svoltare a nord verso la Broadway. La polizia stringeva i dimostranti insistendo che restassero sui marciapiedi, arrestando di tanto in tanto qualche manifestante e frammentando la marcia. Alcuni gruppi erano finiti a Washington Square, altri nei pressi di Union Square, e altri erano tornati a Foley.

Nel frattempo, alle 3.00, centinaia di occupanti e manifestanti erano ancora asserragliati all'angolo tra la Broadway e Pine Street. Bloccati dalle transenne e dai blindati della polizia, fissavano in sbigottito silenzio agenti e operatori ecologici rimuovere oggetti caricati nei cassoni dei camion della nettezza urbana che filavano via nella notte.

"La mia casa è dentro quel camion!" ha urlato un uomo. "Se ne vanno con la nostra roba!" ha urlato un'altra, mentre, seduto sulle transenne, un musicista solitario strimpellava la chitarra cantando *When the Ship Comes In* di Bob Dylan. Non molto lontano un gruppo di dimostranti salmodiava: "You are sexy! You are cute! Take off that riot suit", un ironico, sei bello, sei sexy, togliti quegli indumenti antisommossa o ancora, parodiando una canzone cantata da anni nelle manifestazioni della sinistra americana: "This is what democracy looks like!", chiedendosi, "Dimmi, com'è la democrazia? È questa la democrazia!".

Nel fragore dei motori dei camion e nel baccano della folla, i giornalisti intervistavano gli occupanti, mentre i dimostranti cercavano di riconciliarsi con quello che era successo facendo speculazioni sul futuro e digitando sms in cui rassicuravano amici e amanti ansiosi di sapere dove fossero e che cosa succedesse. Messaggiavano anche gli altri manifestanti di Foley Square disperdendosi nelle vie di Lower Manhattan, mentre altri ancora montavano sulle automobili della polizia e le graffitavano e alcuni attivisti fantasiosi, accovacciati sui marciapiedi lungo le file dei veicoli della Nypd lì parcheggiati, sgonfiavano le ruote delle automobili aiutandosi con l'attrezzatura ciclistica.

Verso le 5, quando i camion della nettezza urbana avevano terminato di sgomberare il parco dagli oggetti degli occupanti, la polizia ha tentato di riaprire Broadway. Proprio dietro il cordone di polizia, tre ragazzi in abiti punk hanno cominciato a urlare e fischiare in direzione di una giovane agente donna. La ragazza ha stretto i denti mentre due agenti al suo fianco, entrambi più alti di lei di una spanna, hanno guardato i tre con aria disgustata. Più tardi uno dei tre ha incrociato lo sguardo della ragazza come a volerle chiedere scusa. Mentre lei lo accompagnava con calma in una via laterale, i due hanno cominciato a chiacchierare – lei del suo servizio di pattuglia nella Upper Manhattan, lui dello sgombero.

Nel frattempo, mentre una ventina di agenti premeva l'insonne folla verso sud, un confuso annuncio avvertiva: "Se non sgomberate la strada sarete arrestati!". Numerosi dimostranti hanno risposto canticchiando a bocca chiusa la marcia imperiale di *Guerre stellari* e lo slogan "All Day! All Week! Occupy Wall Street!". Il canto, iniziato lento, quasi a bassa voce, cresceva mano a mano che gli agenti setacciavano la strada. Gli alterchi non hanno tardato a manifestarsi quando davanti a Trinity Churchyard il cordone di polizia ha cominciato ad avanzare sospingendo tutti fuori dalla strada e sul marciapiede. Un capannello di manifestanti ha allora tentato una sortita fin quando una compagnia di agenti non li ha soverchiati. Da lontano altri dimostranti scagliavano bottiglie e oggetti vari. Un ragazzo è salito su un'automobile della polizia lanciandosi da lì su un gruppo di agenti. Le urla adesso risuonavano lontane, "fascisti!", "chi state proteggendo!?" e "vergogna!"; altri manifestanti chiedevano ai poliziotti di unirsi a loro, "stanno rubando anche la vostra pensione!". Ma nell'arco di alcuni minuti la polizia aveva riconquistato la Broadway. Quando la strada è stata sgomberata e i manifestanti più aggueriti arrestati, ad alcuni agenti non è rimasto che sostituire le gomme sgonfie bloccando il traffico del primo mattino per un'altra mezz'ora. Mentre il traffico riprendeva, i pochi rimasti si sono avviati verso Foley Square, dove un'assemblea generale discuteva delle successive mosse del movimento.

Per le 6 del mattino la moltitudine dei contestatori era dispersa. Ne restava qualche decina ad attardarsi tra agenti di polizia e giornalisti a caccia di notizie. Le transenne andavano diminuendo ed era possibile adesso assistere al lavoro di rifinitura di operatori ecologici e agenti della sicurezza che ripulivano minuziosamente il parco "liberato". Gli agenti restavano in disparte assicurando che il parco sarebbe stato accessibile non appena le maestranze avessero terminato di pulirlo. Questa notizia si è in seguito rivelata falsa. Nessuno è potuto entrare nel parco prima delle 17. In seguito alcuni giornalisti hanno rivelato che la maggioranza degli agenti di polizia non era stata informata del raid. Credevano che gli indumenti antisommossa servissero per un'esercitazione fin quando non hanno ricevuto l'ordine di recarsi in centro.

All'alba gli ultimi manifestanti sono stati accompagnati in un angolo del marciapiede dove alcuni sono stati arrestati per essersi rifiutati di allontanarsi dalle transenne del marciapiede orientale ed essersi recati verso la parte occidentale di Broadway.

Le autorità municipali hanno immediatamente attivato gli uffici stampa definendo lo sgombero necessario per non meglio specificate ragioni "sanitarie e di sicurezza" reagendo alle pressioni mediatiche con un ingiustificato ottimismo. In risposta alle iniziali notizie sulla distruzione dei cinquemila volumi della biblioteca del movimento, il sindaco Bloomberg ha risposto che tutti i libri erano al sicuro e sarebbero stati restituiti a partire dal giorno successivo. La verità, sembra, sta nel mezzo. La mattina del raid l'account Twitter della biblioteca trasmetteva il seguente messaggio: "Il Nypd ha distrutto qualunque cosa a #OccupyWallStreet gettandola nell'immondizia, compresa la biblioteca di Ows. È l'ora di #ShutDownNYC". Stephen Boyer, che ha vissuto quasi in permanenza a Zuccotti Park nei due mesi di occupazione, aveva lavorato nella biblioteca e aiutato a raccogliere l'enorme antologia poetica del movimento creata grazie al contributo di sostenitori anonimi o famosi. Quella notte, ha detto, ha fatto appena in tempo a salvare l'antologia prima che gli agenti lo cacciassero dal parco e li ha visti gettare libri nei rimorchi dei camion. "La nostra biblioteca conteneva oltre novemila libri e quella notte ne sono stati portati via circa cinquemila," ha detto, aggiungendo che il resto dei volumi era stato immagazzinato in uno spazio vicino affittato dal movimento. "Ho salvato l'antologia portando via con me le due cartellette." Quando chiedono a Bill di raccontare l'accaduto, dice che i computer che, secondo le autorità municipali avrebbero dovuto essere ripristinabili dopo il raid, sono stati "sistematicamente distrutti". Una settimana dopo lo sgombero, rappresentanti della biblioteca accompagnati dagli avvocati incaricati di intentare causa al comune, hanno tenuto una conferenza stampa affermando che erano stati rinvenuti 1275 libri, di cui solo 839 in condizioni accettabili. La municipalità, hanno detto, aveva gettato o distrutto più di tremila libri sequestrati.

Ma se le conseguenze dello sgombero sono venute alla luce lentamente, una cosa era assolutamente chiara in quella fredda mattina di novembre. Per la prima volta da quasi due mesi, fatta eccezione per alcuni operatori ecologici e qualche poliziotto, Zuccotti Park era vuoto. In una conferenza stampa che si è tenuta quella mattina, il sindaco Bloomberg ha giustificato la decisione di procedere allo sgombero definendo la situazione "intollerabile" e rimproverando gli occupanti di non avere esercitato con i loro diritti anche il senso di "responsabilità". E ha aggiunto: "Adesso dovranno occupare lo spazio con la forza delle loro idee". Mentre il sindaco parlava i manifestanti si preparavano a farlo.

Il futuro dell'occupazione

È il futuro dei vostri figli! Voi state difendendo i vostri figli. Un elemento primario e vitale... Le famiglie devono essere coinvolte se questo movimento vuole avere un futuro.

Kirby Desmarais, fondatore di Parents for Occupy Wall Street

Alle 6.30 del 15 novembre, poche ore dopo lo sgombero da parte della polizia, un giudice della Corte suprema di New York, Lucy Billings, ha emesso un ordine restrittivo temporaneo sospendendo l'ordinanza del sindaco Bloomberg e consentendo in questo modo ai manifestanti di tornare a Zuccotti Park. Ma quando un'anziana donna ha sventolato una copia dell'ordinanza a un agente di guardia al parco in risposta ha ricevuto un pugno in faccia.

Zuccotti è stato riaperto dopo le 17, non prima che la municipalità avesse accolto con favore una seconda ordinanza che questa volta ordinava l'assoluto divieto di accamparsi all'interno del parco. Quella sera è stato consentito l'accesso al pubblico in un parco irriconoscibile, circondato da transenne, fatta eccezione per un'entrata e un'uscita pesantemente monitorate. Nonostante l'occupazione continuasse, la sua presenza fisica era notevolmente attenuata.

Nessuno dubitava che la perdita di Zuccotti Park avrebbe avuto un profondo impatto sul movimento. Qualcuno sosteneva che non tutto il male viene per nuocere e che l'occupazione avrebbe altrimenti dovuto affrontare il generale inverno, l'esaurimento fisico, gli assalti alle tende e l'affaticamento mentale – problemi concreti ma anche facilmente manipolabili da parte di coloro che volevano discreditare il movimento. Il giorno precedente il raid, la rivista "Adbusters" aveva fatto balenare l'idea che fosse tempo di mettere fine all'occupazione, dichiarando vittoria e usando "l'inverno per riflettere, connettersi, dare nuovo impeto al movimento e riemergere ringiovaniti, pronti a rientrare in scena la primavera successiva con tattiche fresche, filosofie nuove e una miriade di progetti". Sono stati invece la polizia e il sindaco Bloomberg a dichiarare vittoria in nome dei princìpi dell'ordine e del rispetto dello status quo. Il raid rientrava in uno sforzo coordinato a livello nazionale dei sindaci delle diciotto principali città del paese, delle autorità federali e del dipartimento della Sicurezza nazionale – un dettaglio che il sindaco Jean Quan di Oakland si è lasciato sfuggire in un'intervista del 16 novembre alla Bbc.

Eppure, la conquista e la trasformazione di una piazza collettiva avevano dato un indirizzo fisico a un diffuso moto di ribellione. Zuccotti Park si era dimostrata una casa reale per centinaia di persone e una casa politica per centinaia di migliaia e forse più.

Mentre scriviamo non è chiaro quale sarà l'evoluzione del movimento senza lo spazio fisico che lo ha definito fin dall'inizio.

Nonostante la tempistica e la ferocia dello sgombero li abbiano colti di sorpresa, occupanti e sostenitori del movimento avevano preparato alternative nel caso in cui l'occupazione a tempo pieno di Zuccotti Park fosse diventata impossibile. Nel tentativo di sottrarsi alla repressione della polizia ed estendere l'occupazione nel tempo e nello spazio, i manifestanti hanno identificato spazi i cui proprietari o gestori simpatizzassero con il movimento, fossero disposti a non opporsi a eventuali occupazioni o quantomeno non con la forza.

Il 16 ottobre una decina di occupanti ha cercato di allargare l'occupazione a un sito "amico" all'interno del Guggenheim Lab, tra la Huston Street e la Second Avenue. Un evento pubblico all'interno di questa location è diventato l'occasione di un accampamento a tempo pieno, ma questo nuovo satellite di Ows non ha resistito alla richiesta del proprietario di garantire la sicurezza. Un mese dopo, a qualche ora dallo sgombero di Zuccotti Park, una raffica di testi, tweet e post di Facebook indirizzava i manifestanti dando loro convegno alle 9 tra Canal Street e la Sixth Avenue. Lì sono stati accolti da un contingente di preti che sosteneva il movimento e il suo messaggio contro la disuguaglianza. Un centinaio di manifestanti ha occupato un triangolo di terreno in disuso all'entrata di Holland Tunnel. Il terreno era proprietà della Trinity Church, una chiesa di confessione episcopale, uno dei principali proprietari immobiliari di New York. Il fallito tentativo di negoziazione con la Trinity ha portato all'inevitabile sgombero da parte della polizia.

In concomitanza con il National Day of Action del 17 novembre, gli studenti hanno coordinato un'azione che avesse come obiettivo l'occupazione a tempo pieno di un nuovo spazio. Si sono radunati a Union Square, meta di molte manifestazioni in città, e partendo da lì, un gruppo di attivisti ha occupato un edificio della New School University, sulla Quinta Strada, accogliendo con cartelli alle finestre su cui era scritto "occupato" la marcia destinata a Foley Square. La ricerca di ospiti "amichevoli" ha avuto parziale successo. La New School, finanziata da professori di sinistra in fuga dalla repressione nazista in Germania, ha inizialmente tollerato l'occupazione studentesca, ritenendo forse che un eventuale sgombero avrebbe rovinato la reputazione progressista dell'università. Ma la relazione tra manifestanti e amministrazione ha ben presto mostrato la corda su temi come i graffiti e le norme di sicurezza e quando il rettore dell'università ha tentato di convincere gli occupanti a traslocare in un nuovo spazio, l'assemblea generale ha votato la proposta con una maggioranza del 75 per cento di adesioni, mentre la minoranza dissidente decideva di restare e continuare l'occupazione. La questione di come relazionarsi con un ospite tollerante – un problema che gli occupanti di Zuccotti Park avrebbero desiderato avere – continua a dividere gli occupanti e nel weekend del Giorno del ringraziamento gli ultimi renitenti hanno smobilitato volontariamente.

Mentre scriviamo, Zuccotti Park è ancora occupato di

giorno, ma di notte i manifestanti se ne devono andare. Un proprietario di hotel solidale nella zona di Rockaways ne ospita diversi ma è un lungo viaggio avanti e indietro dalla capitale della finanza globale. I problemi logistici conseguenti lo sgombero hanno esacerbato le tensioni su decine di temi tra i più svariati, dai finanziamenti al movimento al cibo senza glutine.

Eppure, insieme alla volontà di espansione verso nuovi spazi fisici, l'energia e il meme di Occupy sono penetrati in molte campagne e spazi politici. Il movimento ha dato corpo e sostegno a molte cause. I manifestanti hanno "occupato" abitazioni pignorate e altre sul punto di esserlo a Minneapolis, Oakland, Portland, Cleveland e altre città. Hanno occupato il provveditorato agli studi di New York, tenendo proteste, teach-in e discussioni su come riformare il sistema in modo vantaggioso per studenti, insegnanti e genitori e non per la lobby delle privatizzazioni. Hanno affrontato il problema del debito studentesco – raccogliendo e condividendo storie di privazioni e sofferenze in un sito web e inaugurando una campagna di disobbedienza contro la restituzione di prestiti con tassi da usura. Hanno tessuto iniziative con il sindacato e prestato il proprio corpo e le proprie energie a picchetti e azioni legali in difesa dei diritti del lavoro. Hanno offerto assistenza agli immigrati, opponendosi in un caso a una deportazione con una marcia e un incontro pubblico.

Questi esempi, insieme a innumerevoli altri, suggeriscono un rinvigorimento su larga scala della protesta negli Stati Uniti. I militanti che per anni hanno lottato nel tentativo di attirare l'attenzione di un pubblico rassegnato ricevono ora sostegno e pubblicità grazie al brand, ai numeri e alla determinazione di Occupy, e, ultimo ma non meno importante, al suo irresistibile e inclusivo slogan "99 per cento". Come ha sottolineato il commentatore di "Atlantic" Alexis Madrigal, il concetto di Occupy assomiglia a un'interfaccia di un programma applicativo – una cornice con cui integrare in un insieme le cose più disparate. Non sarebbe corretto negare le tensioni che percorrono il movimento, ma fin qui un'analisi condivisa e un linguaggio comune hanno tirato i fili di una politica collettiva.

In quale caso però l'integrazione diventa cooptazione? In che termini l'interfaccia con il Partito democratico e altre organizzazioni politiche liberal mainstream costituirebbe cooptazione e in che termini invece costituirebbe un supporto? Nel primo mese di occupazione i democratici, da Al Gore a Nancy Pelosi, al presidente stesso, hanno espresso simpatia nei confronti delle rivendicazioni dei manifestanti. Gruppi di sostenitori del Partito democratico, come il Center for American Progress, hanno dimostrato una propensione a usare Ows per motivi elettorali. Non molto tempo dopo l'appoggio di Al Gore, il blogger di Salon Glenn Greenwald ha aspramente criticato Mary Kay Henry, presidente del Seiu (uno dei sindacati più vicini a Obama e ai democratici) per avere cooptato il linguaggio e gli slogan di Occupy nel tentativo di raccogliere maggiori adesioni nella prossima campagna elettorale del presidente. In un'intervista rilasciata al giornalista del "Washington Post" Greg Sargent, la Henry ha incoraggiato l'idea di un "Occupy Congress" costruendo una falsa dicotomia nella quale occupanti e sindacati avrebbero potuto schierarsi al fianco dei democratici nella sfida ai repubblicani. Ora tutti sanno, e Ows più di altri, che i repubblicani non sono l'unico partito "dei ricchi". Gli attivisti del movimento potrebbero decisamente aderire all'idea di un "Occupy Congress", ma non nel modo immaginato dai sostenitori di Henry e Obama. Come sottolineato da Greenwald, quello che rende Occupy così pertinente è la sua risolutezza a lavorare fuori dalle corrotte istituzioni politiche. Dunque appropriarsi del movimento per la campagna democratica ridurrebbe Occupy all'ennesimo strumento elettorale diminuendone la forza di attrazione o addirittura annichilendola.

David Carr sostiene che, per quanto insoddisfacente, eleggere rappresentanti e premere in favore di rivendicazioni legislative è ancora l'unico modo di agire. Tuttavia il nostro sistema politico elitario, alleato con gli interessi delle corporation, accende le proteste. Se vuole trasmettere il proprio messaggio e attivare il cambiamento, Occupy dovrà utilizzare tutti gli strumenti disponibili. Impegnarsi nell'attuale processo politico potrebbe essere uno di questi, tuttavia un eventuale coinvolgimento nella politica elettorale dovrà sicuramente avvenire nei termini stabiliti dal movimento.

Nonostante la complessa questione della costruzione di una coalizione più ampia, la grande sfida potrebbe ancora essere fuggire il sistema della delega e confrontarsi con una crescente brutalità della polizia.

Mentre Ows cresce, cambiando luoghi, forme e tattiche, la militarizzazione del New York City Police Department, la sua capacità e volontà di uso eccessivo della forza restano un ostacolo significativo nello sviluppo di nuovi luoghi di protesta e di nuove tattiche.

Il sociologo Alex Vitale narra come abbia potuto prodursi la violenza del Nypd visibile su YouTube. Dopo un lungo periodo nel corso degli anni settanta e ottanta di "gestione negoziata" della piazza, il tentativo percepito come fallimentare di evitare gli scontri del 1999 del dipartimento di polizia di Seattle e i successivi attacchi terroristici del 2001, hanno consegnato alle centrali di polizia del paese la motivazione e la giustificazione per militarizzarsi. Vitale sostiene che il lascito politico del sindaco Rudolph Giuliani – la "teoria delle finestre rotte" e della "qualità della vita", con cui si indica la particolare forma di gestione del territorio secondo cui non vengono tollerate le piccole trasgressioni – sia riscontrabile nella gestione di piazza del movimento voluta dal Nypd. In risposta a violazioni minori la polizia reagisce con intransigenza e con un uso sproporzionato della forza, come è accaduto nel corso della prima marcia sul Ponte di Brooklyn.

Resta da vedere che significato avrà l'equilibrio di forza fisica e politica per il futuro del movimento. I dipartimenti di polizia, armati di nuove tecnologie per il controllo della folla, sono in grado di disperdere masse e accampamenti inermi. E i sindaci delle grandi città, in maggioranza liberal, hanno dimostrato la volontà di collaborare per tenere testa ai manifestanti. Ma le strategie ruvide si sono rivelate controproducenti causando problemi di relazioni pubbliche a polizia e politici. Fin qui la risposta del movimento alla brutalità della polizia è stata la crescita.

Polizia e politici continueranno nella repressione, cambieranno tattica o torneranno ai vecchi tempi della "negoziazione"? Il movimento continuerà a essere radicale e a crescere?

Sono molte le indicazioni in questo senso. Innanzitutto il movimento attrae sostenitori che vanno ben oltre l'immagine stereotipata del "contestatore". In una fredda giornata di novembre, nella cacofonia delle percussioni, non ancora sanzionate, e della protesta contro Goldman Sachs del reverendo Billy, una coppia di provinciali, due pediatri con tre figli, raccontava del loro arrivo all'accampamento per partecipare all'assemblea generale. Benché molti nella contea di Westchester da cui provenivano avessero esposto la bandiera a mezz'asta in occasione dell'elezione di Barack Obama, Ivanya Alpert e suo marito, Dmitri Laddis, considerano Occupy il segno dell'emersione di una politica più promettente. Sono stufi delle classi sempre più numerose frequentate dai figli a causa dei tagli al bilancio, mentre le case dei vicini nel quartiere diventano sempre più grandi. La piscina pubblica locale è stata venduta a un privato perché la cittadina non poteva permettersela. Alpert e Laddis hanno trascorso una notte a Zuccotti Park.

Il gruppo Parents for Occupy Wall Street, nato durante un soggiorno a Zuccotti Park in ottobre, è ben presto diventato un fenomeno nazionale, e ha militanti perfino a Honolulu. Fondato da Kirby Desmarais, venticinque anni, imprenditrice musicale di Brooklyn, madre di una bambina di diciannove mesi, il gruppo nel 2012 andrà in tour per informare altri genitori sull'attività del movimento. La Desmarais, che non aveva mai fatto attività politica in precedenza, ha spiegato perché i genitori devono fare parte di Ows: "È il futuro dei vostri figli! Voi state difendendo i vostri figli. Un elemento primario e vitale... Le famiglie devono essere coinvolte se questo movimento vuole avere un futuro".

Figli e genitori non erano gli unici inaspettati visitatori a Zuccotti Park e negli accampamenti affini in tutto il paese. La polizia di Oakland ha gravemente ferito un veterano dei marine che aveva prestato servizio per due anni in Iraq e altri veterani come lui sono stati una forte presenza nel movimento, non a caso, in considerazione del loro elevato tasso di disoccupazione. E cosa ancora più sorprendente, a metà novembre, a Zuccotti Park è stato arrestato Ray Lewis, un capitano di polizia in pensione di Philadelphia, mentre reggeva un cartello con la scritta "Nypd, non essere il mercenario di Wall Street".

Lewis ha fatto un'analisi del lavoro di poliziotto: "Gli agenti di polizia lavorano per l'1 per cento e non se ne rendono nemmeno conto... Non appena uscirò di galera, tornerò lì e mi farò arrestare un'altra volta". Una realtà ben distante dal sogno della rivoluzione in cui esercito e polizia si rivoltano contro lo stato, ma dimostra come Occupy non sia, come dice Dmitri Laddis, "una piccola protesta marginale".

Ows ha sfatato tutte le previsioni e sorpreso sedicenti esperti di tendenze sociali. Questa estate, mentre la proposta della rivista "Adbusters" cominciava a circolare, la maggioranza degli attivisti e degli osservatori rideva all'idea di una occupazione a Wall Street. I canadesi hanno proposto un accampamento a Wall Street! La polizia lo sgombererà in poche ore! Che cosa ridicola pensare una cosa del genere! La storia si è incaricata di smentirli. Come hanno detto alcuni manifestanti in occasione del secondo sgombero voluto da Bloomberg, "non puoi sgomberare un'idea".

Un giorno nella vita della piazza

Mattina

La vita amministrativa di Occupy Wall Street non cominciava a Zuccotti Park, ma nel grande atrio di un edificio al 60 di Wall Street (dove si tenevano le riunioni del gruppo che ha creato questo libro). Lì si incontravano quotidianamente i coordinatori dei gruppi di lavoro del movimento, lì si presentavano relazioni sulle iniziative in corso, si discutevano proposte e si cercavano soluzioni in un costruttivo confronto di idee. Nel corso dell'incontro che si è tenuto la mattina del 31 ottobre, per esempio, la questione della preparazione dell'accampamento invernale era in cima all'agenda, seguita dalla discussione sui nuovi spokescouncil e sul poco lusinghiero resoconto sull'assemblea generale apparso sui media.

Nel frattempo, all'accampamento di Zuccotti Park, erano cominciate le operazioni quotidiane che garantivano il funzionamento del campo. La preparazione della colazione cominciava in cucina alle 6 del mattino circa e più o meno un'ora dopo era servita. Nonostante l'ora del pasto fosse andata definendosi nel corso delle ultime tre settimane di occupazione, il flusso continuo di donazioni da parte di istituzioni locali, tra cui pizzerie e ristoranti indiani – oltre al cibo offerto direttamente dai sostenitori di Ows che preparavano di propria iniziativa piatti a casa – consentiva a chi lo desiderava di mangiare a qualunque ora del giorno. In mattinata cominciavano le visite alla biblioteca e ai punti informazione alle due estremità del parco da parte di newyorkesi e turisti che si fermavano a parlare con gli occupanti. Daniel Levine arrivava di solito all'accampamento tra le 10 e le 11 del mattino, in base all'orario dei corsi universitari. La sua routine era semplice: un caffè da uno degli ambulanti intorno al parco e poi di corsa al punto informazioni dove cominciava a rispondere alle domande dei passanti. Nei tempi morti leggeva.

Pranzo e colazione erano momenti gestiti con grande difformità. Era facile incontrare nel parco volontari che si spostavano con rapidità portando vassoi di cibo vegetariano a membri dei gruppi di lavoro che continuavano l'attività senza sosta. Lo staff del punto informazioni era uno di questi e tuttavia, quando gli veniva fame, Dan faceva una pausa e si recava presso uno dei furgoncini di carne *halal* parcheggiati fuori dalla piazza. Nel periodo trascorso a Zuccotti Park – cinquantatré giorni secondo una sua valutazione – si è concesso questa opzione tante di quelle volte da essere ormai in grado di consigliare gli ambulanti migliori. Quello all'estremità sud del parco, sostiene, offriva il cibo più buono, ma un altro, dalla parte opposta di Broadway, era il più economico.

Pomeriggio

Le ore comprese tra mezzogiorno e le 2 rappresentavano la prima delle due finestre di tempo concesse ai musicisti del gruppo Pulse per suonare, in base a un accordo stretto con l'assemblea generale. Il suono delle percussioni era udibile nell'intero parco, soprattutto lungo il suo confine occidentale. Lì vicino, sul marciapiede più a sud, Hermes, un diciottenne originario di Mobile, Alabama, sedeva a un tavolino distribuendo volantini contenenti informazioni sulla crisi economica mondiale. La sua giornata tipo consisteva nel conversare con passanti e curiosi, scambiare idee di ora in ora, fin quando non ne poteva più e se ne andava a dormire.

Nel pomeriggio invece Patricia, membro del gruppo azione diretta, abbandonava di frequente il parco – di solito gruppi come il suo si riunivano nell'atrio al 60 di Wall Street o a Charlotte's Place, una sala riunioni gestita dal Trinity Wall Street, una parrocchia locale, ad alcuni caseggiati di distanza. Questi incontri organizzativi di solito la tenevano impegnata fin quasi alle 7 quando tornava in piazza in tempo per l'assemblea generale. Nel frattempo il gruppo Pulse apriva la seconda finestra di due ore, compresa tra le 4 e le 6 e che, come facevano notare numerosi occupanti, si sovrapponeva di frequente con la prova microfono dell'assemblea.

Per un breve periodo agli inizi di novembre, anche DiceyTroop, cronista del movimento su Twitter, ha dovuto dividersi tra diverse attività all'interno del campo. In questo periodo trascorreva il pomeriggio indaffarato come Patricia: alle 14 raggiungeva il gruppo azione diretta al 60 di Wall Street, passava in seguito al gruppo promozione e infine verso le 18 alla riunione del gruppo di lavoro sulla struttura del movimento – gruppo che ha acquisito una notevole importanza dall'ultima settimana di ottobre in poi, dal momento che è stato in questo gruppo che lo spokescouncil ha preso forma. Finita questa ultima riunione, era di nuovo ora dell'assemblea generale.

Sera

La cena cominciava a Zuccotti Park attorno alle 6, quando il cibo cucinato, in gran parte vegetariano, cominciava a uscire dalle cucine. Ma nonostante la pressoché costante presenza di cibo nell'accampamento, la cena era un'occasione importante per gli occupanti e quando la cucina incontrava qualche difficoltà o era in ritardo nella preparazione, gli occupanti diventavano irritabili. L'8 novembre per esempio, Rich, un veterano dell'esercito che aveva il compito di garantire la sicurezza delle cucine e assicurare che solo le persone autorizzate entrassero nell'area in cui si preparava il cibo, ha avuto un alterco con un volontario a causa della frustrazione di alcuni occupanti affamati. Quel giorno Rich si trovava all'entrata della cucina, dove riteneva di dovere stare in modo da impedire l'entrata a persone non autorizzate, per quanto la sua presenza fosse d'impaccio al lavoro dei volontari. La tensione si tagliava con il coltello: alle 6 passate gli ingredienti attesi non erano ancora arrivati (nessuno sapeva il perché) e gli occupanti in coda diventavano impazienti. Mancava perfino l'acqua. È stato allora che Rich e il volontario hanno avuto il diverbio. L'uomo si lamentava in modo vivace della presenza del veterano in quel luogo e del suo rifiuto di andarsene, giustificato dalla necessità di portare a compimento il proprio lavoro. I due sono stati infine costretti a rivolgersi a un mediatore che ha sistemato le cose, anche se tra loro ha continuato ad aleggiare una latente forma di risentimento.

L'assemblea generale iniziava di solito intorno alle 7, qualche volta prima. L'orario di chiusura invece era imprevedibile – la ricerca della unanimità con cui operava l'assemblea costringeva di frequente a lunghe negoziazioni tra partecipanti che avevano divergenze su una determinata questione. Questo accadeva in particolare se uno dei presenti poneva il veto su una proposta, un evento che accadeva di rado. Le assemblee duravano di frequente oltre le quattro ore previste, perciò solo i più tenaci tra i convenuti non se ne andavano prima.

Come suggeriva l'illimitata presenza di Hermes, l'attività di Occupy Wall Street non poteva essere facilmente confinata in orari definiti. La cartellonistica e le altre attività artistiche non avevano orario. Gli oratori in cerca di una folla erano invece presenti solo durante il giorno. Il media center lavorava molte ore, la tenda medica era sempre aperta e il lungo, bizantino processo di soluzione delle questioni legali riguardanti gli arresti dei manifestanti poteva trascinarsi per giornate intere. Ma nonostante questo, l'estensione nell'accampamento delle attività con una programmazione prestabilita era considerevole.

Notte

La sera, in base alle proteste che si erano tenute durante il giorno, un certo numero di manifestanti poteva trovarsi impegnato in luoghi diversi della città – impegnati in particolare a farsi rilasciare dalle centrali di polizia, assistiti dai legali del movimento.

Nel frattempo, a Zuccotti Park, gli occupanti chiacchieravano all'aperto o, come faceva di tanto in tanto Dicey-Troop terminato il suo contributo di cronaca su Twitter, si recavano in qualche bar o caffè lì vicino – "dove portavamo a termine il lavoro della giornata" – a discutere e a pianificare. Per quelli rimasti nel parco di frequente era disponibile un pasto finale: molte sere un sostenitore del movimento arrivava intorno alle 23 con cibo vegano per chi lo desiderasse.

La biblioteca restava aperta fino a tardi, le 2, le 3 del mattino, in conformità alla centralità che aveva assunto nella immagine pubblica dell'accampamento. Era a quell'ora che Bill Scott, professore di Inglese in anno sabbatico, poteva infine coricarsi rannicchiandosi nel suo sacco a pelo tra gli scaffali, in modo da salvaguardarli.

Dan Levine era solito restarsene seduto dietro il banchetto delle informazioni fino a tardi – a volte prendeva la metropolitana per tornarsene a Brooklyn alle 5 del mattino. A suo dire, però, questi non erano tempi morti per il movimento, anche se la maggioranza degli occupanti, e di certo il pubblico che fluiva in continuazione durante il giorno, dormiva da molte ore. La notte tarda era il momento in cui le persone davvero interessate, e interessanti, avvicinavano il banchetto. Era in momenti simili che si sentiva una sorta di portiere d'albergo e ascoltava le storie che la gente ama raccontare in orari impensati, storie che questo "amante delle storie" adorava ascoltare.

Cronologia di un movimento in marcia

25 GENNAIO – Oltre cinquantamila manifestanti occupano piazza Tahrir al Cairo, in Egitto. Il governo blocca l'accesso a Twitter e oscura la rete cellulare sulla piazza. È l'inizio della Rivoluzione egiziana.

5 MAGGIO – Le misure di austerità – il taglio della spesa pubblica e l'aumento delle tasse – annunciate dal governo greco in cambio della manovra di salvataggio da 110 miliardi di euro dell'Unione europea e del Fmi scatenano le proteste nel paese.

15 MAGGIO – Inizia in cinquantotto città spagnole la protesta guidata dai cosiddetti indignados. Puerta del Sol a Madrid diventa il centro e il simbolo della contestazione. Il movimento prende ispirazione dalle rivoluzioni tunisina ed egiziana del 2011 e dalla rivolta greca del 2008.

25 MAGGIO – Cominciano nelle principali città della Grecia le manifestazioni contro le misure di austerità organizzate dal movimento Democrazia Diretta Ora! noto anche come Movimento dei cittadini indignati. Questa seconda ondata di manifestazioni, apartitica, ha un inizio pacifico e in seguito in alcuni casi diventa violenta, soprattutto nella capitale Atene.

16 GIUGNO – Creazione del campo Bloombergville a Broadway e Park Avenue, Manhattan, in risposta ai tagli di bilancio effettuati dal sindaco di New York, Michael Bloomberg.

13 LUGLIO – "Adbusters", rivista canadese nota per la produzione di antipubblicità e la critica serrata alla società dei consumi, lancia l'appello iniziale a una pacifica dimostrazione per occupare Wall Street.

2 AGOSTO – Riunione dell'assemblea generale di New York a Lower Manhattan, di fianco all'icona in bronzo del mercato, il "Charging Bull", il Toro di Wall Street, per protestare contro i tagli di Bloomberg.

9 AGOSTO – Assemblea generale all'Irish Potato Famine Memorial di New York, il monumento in ricordo delle vittime della grande carestia che colpì l'Irlanda tra il 1845 e il 1849.

1° SETTEMBRE – Nove manifestanti sono arrestati in seguito alla pacifica occupazione di Tompkins Square, a Manhattan.

17 SETTEMBRE – Occupazione di Zuccotti Park a Manhattan. L'obiettivo iniziale era la Chase Manhattan Plaza ma in seguito a una soffiata la polizia blinda la piazza. Zuccotti Park è il piano B.

20 SETTEMBRE – Una piccola occupazione a San Francisco diventa il megafono per una folla più ampia.

21 SETTEMBRE – Ows si schiera al fianco dei movimenti di Madrid, San Francisco, Los Angeles, Madison, Toronto, Londra, Atene, Sydney, Stoccarda, Tokyo, Milano, Amsterdam, Algeri, Tel Aviv, Portland e Chicago. Cominciano a prendere forma le occupazioni di Phoenix, Montreal, Cleveland e Atlanta.

23 SETTEMBRE – Movimenti simili nascono in Palestina, Kansas City, Dallas, Orlando e Miami.

26 SETTEMBRE – Noam Chomsky manda un messaggio di sostegno agli organizzatori delle iniziative di Ows.

5 OTTOBRE – La Grecia è paralizzata dallo sciopero generale. Migliaia di persone scendono in strada contro la manovra di salvataggio e le misure di austerità.

9 OTTOBRE – Un centinaio di contestatori si raduna davanti alla Casa Bianca a Washington D.C.

10 OTTOBRE – Oltre centoquaranta manifestanti di Occupy Boston sono arrestati nella capitale del Massachusetts dopo essersi rifiutati di sgomberare il Rose Fitzgerald Kennedy Greenway.

15 OTTOBRE – Global Day of Action. Mobilitazioni si tengono in oltre un migliaio di città nel mondo. La data è stata scelta in coincidenza con il quinto mese di proteste in Spagna. A Roma, mentre migliaia di persone sfilano pacificamente, alcuni manifestanti si scontrano violentemente con le forze dell'ordine. La più affollata mobilitazione canadese è quella di Vancouver, città in cui è nata l'idea del movimento, di circa quattromila persone.

22 OTTOBRE – Decine di manifestanti di Occupy Harlem sono arrestati durante una marcia nel quartiere.

25 OTTOBRE – Attivisti egiziani, protagonisti della cacciata del dittatore Hosni Mubarak, danno il proprio appoggio al movimento Occupy e rilasciano una dichiarazione di solidarietà con gli occupanti. A Oakland, in California, centinaia di poliziotti attaccano i manifestanti con lacrimogeni, proiettili *beanbag* – proiettili neutralizzanti e che contengono una serie di piccole biglie di plastica dura – e proiettili di gomma. Lo sgombero dell'accampamento termina con l'arresto di ottantacinque occupanti. Scott Olsen, veterano della guerra in Iraq, resta gravemente ferito da un proiettile della polizia.

26 OTTOBRE – Marcia di solidarietà di Oakland. Centinaia di manifestanti di Ows marciano nei pressi di Union Square in solidarietà con il veterano e attivista di Occupy Oakland Scott Olson.

27 OTTOBRE – Il sindaco di Oakland, Jean Quan, duramente criticata per come ha gestito la protesta, il giorno precedente lo sgombero degli occupanti diffonde una nota in cui afferma di condividere gli obiettivi del movimento.

28 OTTOBRE – Ows si unisce a Occupy the Hood contro le pratiche illegali di *foreclosure* (la privazione del diritto di cancellare un'ipoteca con il conseguente passaggio della proprietà del bene ipotecato al creditore ipotecario).

29 OTTOBRE – La polizia interviene a Denver, Colorado, in assetto antisommossa e allontana gli occupanti dall'area che circonda Capitol State usando munizioni urticanti al peperoncino e arrestando ventiquattro dimostranti che si rifiutano di obbedire all'ordine di disperdersi. Un gruppo di manifestanti identificati con il termine di "delinquenti" è circondato e spintonato contro una motocicletta della polizia in movimento.

30 OTTOBRE – La polizia arresta una ventina di persone a Portland, Oregon, per essersi rifiutate di abbandonare un parco all'ora di chiusura. A Austin, in Texas, trentotto persone sono arrestate per essersi rifiutate di chiudere tavolini da picnic alle 10 di sera. Gli arrestati contestano la legittimità della norma emessa dal comune della città di Austin due giorni prima senza che fosse stata approvata da un voto del Consiglio municipale.

1° NOVEMBRE – Un giudice ordina allo stato del Tennessee la non applicazione del coprifuoco introdotto per soffocare la protesta dei manifestanti che aderiscono al movimento Ows. Il giudice Aleta Trauger concede un'ordinanza restrittiva provvisoria nei confronti del governatore Bill Haslam perché il coprifuoco era una "evidente restrizione del Primo emendamento". Il vice-procuratore generale Bill Marett annuncia che lo stato non si opporrà a questa decisione. Un gruppo di veterani si unisce ai manifestanti a Zuccotti Park.

2 NOVEMBRE – Continuano le dimostrazioni a Oakland, California. In risposta al ferimento di un manifestante avvenuto il 25 ottobre è proclamato uno sciopero generale. I manifestanti impongono la chiusura del porto di Oakland, il quinto porto per importanza nazionale.

3 NOVEMBRE – Scontri tra manifestanti di Occupy Oakland e agenti antisommossa intervenuti con l'uso di gas lacrimogeni e granate assordanti. Un centinaio di manifestanti è arrestato, tra di loro un altro veterano dell'Iraq gravemente ferito dalla polizia. Gli scontri tra manifestanti di Occupy Seattle e agenti di polizia in seguito alla visita in città dell'amministratore delegato della Chase Bank Jamie Dimon terminano con l'arresto di cinque manifestanti e il lieve ferimento di due agenti di polizia.

6 NOVEMBRE – Rivolte antiregime in Tunisia, Egitto e Iran. Mosier, Oregon, è, con i suoi quattrocentotrenta abitanti, la più piccola cittadina americana in cui sia presente un accampamento di Ows.

11 NOVEMBRE – International Day of Action. Dimostrazioni a Tunisi e al Cairo. Nel giorno di San Martino Occupy Frankfurt organizza una marcia delle lanterne. Una delle più importanti manifestazioni della giornata si tiene a Bologna dove studenti e occupanti manifestano insieme. A Foley Square, New York, parla Queen Mother Dr. Delois Blakely, e Joan Baez suona per i manifestanti.

14 NOVEMBRE – La polizia sgombera il parco di Oakland. Venti occupanti sono arrestati. Il sindaco Jean Quan definisce l'evacuazione dell'area una risposta legata alla "enorme sollecitazione" creata dall'occupazione. Il consigliere legale del sindaco, Dan Siegel, per protesta rassegna le dimissioni.

15 NOVEMBRE – All'1 di notte circa la polizia di New York sgombera Zuccotti Park.
Occupy D.C. organizza un sit-in davanti al quartiere generale della Brookview Properties che amministra Zuccotti Park a New York.
Occupy UC Davis organizza una manifestazione nel parco a cui partecipano circa duemila persone. Quattrocento persone circa occupano in seguito l'edificio in cui ha sede l'amministrazione e tengono una assemblea generale.
Occupy Cal riunisce oltre mille persone a Sproul Hal Plaza.
Occupy Seattle organizza una manifestazione nel centro della città. Nel corso degli scontri con la polizia sono arrestate sei persone.

16 NOVEMBRE – Una serie di arresti di manifestanti a Portland, Berkeley, San Francisco (novantacinque persone), St. Louis e Los Angeles.

17 NOVEMBRE – Il Day of Action celebra il secondo mese di occupazioni del movimento.
Occupy Wall Street – Una folla di trentamila persone marcia nelle strade di New York e assembramenti di manifestanti si for-

213

mano intorno a Zuccotti Park, Union Square, Foley Square, sul Ponte di Brooklyn e in altri luoghi nella città.

Occupy Portland – La polizia usa spray al peperoncino contro gli occupanti e arresta venticinque persone sullo Steel Bridge.

Occupy Los Angeles – I manifestanti occupano Bank of America Plaza, una trentina gli arresti.

Occupy Boston – Un giudice concede un'ordinanza restrittiva impedendo alla polizia lo sgombero dei manifestanti.

Occupy Spokane – Un permesso consente ai manifestanti di accamparsi.

Occupy Milwaukee – I dimostranti chiudono il North Avenue Bridge.

Occupy Seattle – Un gruppo di manifestanti blocca il traffico sullo University Bridge.

Occupy Dallas – Sgombero del campo, diciotto gli arresti.

Occupy Davis e Occupy UC Davis – Gli studenti proseguono nell'occupazione dell'edificio in cui ha sede l'amministrazione dell'università ed erigono tende nel cortile del campus.

Occupy Cal – Gli studenti della Università di California di Berkeley mantengono il controllo del campo nuovamente occupato.

18 NOVEMBRE – Raid alle 2 di notte della polizia a Occupy Cal. La polizia del campus sgombera in mattinata Occupy Davis con l'uso di spray al peperoncino sugli studenti inermi.

19 NOVEMBRE – L'ex capitano della polizia di Philadelphia Ray Lewis è arrestato a Zuccotti Park. La modalità dell'attacco agli studenti di Occupy Davis solleva indignazione nel paese. Occupy K St./CD occupa la Franklyn School in disuso. Con una scelta simile a quella di altre recenti occupazioni di fabbricati a Oakland, Chapel Hill, New York e Londra, decine di occupanti entrano nell'edificio con sacchi a pelo e dichiarano di volere restare a tempo indeterminato.

22 NOVEMBRE – Gli occupanti di piazza Tahrir lanciano un appello urgente alla solidarietà internazionale. Chiedono che siano chiuse le ambasciate egiziane in tutto il mondo, che cessino la vendita di armi al paese e le relazioni diplomatiche con la giunta egiziana da parte delle potenze occidentali. Centinaia di manifestanti marciano sul consolato egiziano a New York.

25 NOVEMBRE – Occupy Seattle inscena una protesta insieme con Occupy Tacoma, Occupy Bellingham e Occupy Everett, il Wal Mart di Renton.

26 NOVEMBRE – Convocazione di una manifestazione di solidarietà con il popolo egiziano davanti alla Egypt Mission di Manhattan.

27 NOVEMBRE – Occupy Philadelphia e Occupy Los Angeles devono fronteggiare un prossimo sgombero.

Contatti utili

181st St Community Garden
beautificationproject.blogspot.com
212-543-9017
880 West 181st Street, #4B
New York, NY 10033

Ali Forney Center
www.aliforneycenter.org
212-222-3427
224 W. 35th St. Suite 1102
New York, NY 10001

ALIGN – the Alliance for a Greater New York
alignny.org
contact@alignny.org
212-631-0886
50 Broadway, 29th Floor, New York, NY 10004

ANSWER Coalition
answercoalition.org
nyc@internationalanswer.org
212-694-8720
2295 Adam Clayton Powell Jr. Blvd., New York, NY 10030

Asian American Arts Centre
http://www.artspiral.org/

Campaign to End the Death Penalty
www.nodeathpenalty.org

Campaign to End the New Jim Crow
endnewjimcrow.com

Center for Immigrant Families
212-531-3011
20 W 104th St
New York, NY 10025

Coalition for the Homeless
coalitionforthehomeless.org
info@cfthomeless.org
212-776-2000
129 Fulton Street, New York, NY 10038

Code Pink
info@codepinkalert.org
310-827-4320

Community Voices Heard
cvhaction.org

Families for Freedom
familiesforfreedom.org
info@familiesforfreedom.org
3 West 29th St, #1030, New York, NY 10001
646 290 5551

FIERCE
www.fiercenyc.org
147 West 24th Street, 6th Floor, New York, NY 10011
646-336-6789

Fort Greene SNAP
fortgreenesnap.org

FUREE
furee.org
718-852-2960 81
Willoughby Street, 701, Brooklyn, NY 11201

GOLES
info@goles.org
169 Avenue B, New York, NY 10009
212-358-1231

Green Chimneys
www.greenchimneys.org
718-732-1501
79 Alexander Ave – 42A, Bronx, NY 10454

Guide to New York City Women's and Social Justice Organizations
bcrw.barnard.edu/guide

Immigrant Movement
united@immigrant-movement.us
108-59 Roosevelt Avenue, Queens, NY 11368 USA

Industrial Workers of the World
iww.org/en
wobblycity.wordpress.com

International Socialist Organization
internationalsocialist.org
contact@internationalsocialist.org
773-583-5069
ISO National Office P.O. Box 16085 Chicago, IL 60616

Iraq Veterans Against the War
www.ivaw.org/new-york-city
646-723-0989
P.O. Box 3565 New York, NY 10008-3565
La Union
la-union.org

Labor community forum
laborcommunityforum@gmail.com

Make the Road
maketheroadny.org
Bushwick, Brooklyn: 301 Grove Street Brooklyn, New York 11237
718-418-7690
Jackson Heights, Queens: 92-10 Roosevelt Avenue,
Jackson Heights, New York 11372
718-565-8500 Port Richmond, Staten Island: 479 Port Richmond Avenue,
Staten Island, New York 10302
718-727-1222

Malcolm X Grassroots Movement
mxgm.org
718-254-8800
P.O. BOX 471711 Brooklyn, NY 11247

Marriage Equality NY (MENY)
www.meny.us

Mirabal Sisters Community and Cultural Center
Mirabalcenter.org
info@mirabalcenter.org
212-234-3002

National Lawyers' Guild
www.nlg.org
nlgnyc.org
212-679-5100
132 Nassau Street, Rm. 922, New York, NY 10038

New York Collective of Radical Educators (NYCORE)
nycore.org

New York Students Rising
nystudentsrising.org

NMASS
nmass.org
nmass@nmass.org

No Gas Pipeline
nogaspipeline.org
nogaspipeline@gmail.com
235 3rd Street, Jersey City, NJ 07302

Northwest Bronx Community and Clergy Coalition
northwestbronx.org
718-584-0515
103 East 196th Street Bronx, NY 10468

NYU4OWS
nyu4ows.tumblr.com

Occupy Equality NY
www.facebook.com/groups/OccupyEqualityNY/

Occupy the DOE
nycore.org/occupy-the-doe/

Occupy Wall Street
www.occupywallst.org/
General Inquiries: general@occupywallst.org
+1 (516) 708-4777

Organizing for Occupation
www.o4onyc.org

Parents for Occupy Wall Street
parentsforoccupywallst.com

Parents Occupy Wall St
parents@everythingindependent.com

Picture the Homeless
picturethehomeless.org
info@picturethehomeless.org

Queer Rising
QueerRising.org
queerrising@gmail.com
917-520-8554

Queerocracy
www.queerocracy.org
contact@queerocracy.org

Shut Down Indian Point Now
shutdownindianpointnow.org

Speak Up HP
speakuphp.org
info@speakuphp.org

Strong Economy for All Coalition
strongforall.org/coalition

Students United for a Free Cuny
studentsunitedforafreecuny.wordpress.com

Scrittori per il 99%

A.J. Bauer, Christine Baumgarthuber, Jed Bickman, Jeremy Brecher, Morgan Buck, Ana M. Chavez, Suzanne Collado, Sharon Cooper, Jackie DiSalvo, Robin Epstein, Liza Featherstone, Sean Firko, Claudia Sofía Garriga López, Alejandro GomezdelMoral, Kate GriffithsDingani, Katherine Gressel, Alex Hall, Samantha Hammer, Malcolm Harris, Zoe Heller, Travis Holloway, Rana Jaleel, Vani Kannan, Danny Katch, Zenia Kish, Sean Larson, Kathryn L. Mahaney, Brian Merchant, Lisa Montanarelli, Debbie Nathan, Angelique V. Nixon, David Osborn, Willie Osterweil, Amity Paye, Jon L. Peacock, Justin Owen Rawlins, Colin Robinson, Olivia Rosane, James Frederic Rose, Andrew Ross, Koren Shadmi, Benjamin Shepard, Christine Utz, Danny Valdez, Susan Wilcox, Jamie Yancovitz.

Indice